Le Langage des chiens

D1297060

Avoir un chien

Le Langage des chiens

Communiquez avec votre animal préféré

KÖNEMANN

Copyright © 1999 Weldon Owen, Inc.
Rédaction : Matthew Hoffman
Collaboration : Susan Easterly, Elaine Waldorf Gewirtz, Bette LaGow,
Susan McCullough, Arden Moore, Liz Palika, Audrey Pavia
Consultant : Paul McGreevy

Titre original : *Dogspeak*

Copyright © 2006 pour l'édition française: Tandem Verlag GmbH
KÖNEMANN is a trademark and an imprint of Tandem Verlag GmbH

Traduction : Nathalie Laverroux
Réalisation : Les Cours, Caen
Lecture : Roxanne Camporeale

Imprimé en Allemagne

ISBN 3-8331-1394-4 (de l'édition française)
ISBN 3-8331-1295-6 (de l'édition allemande)

10 9 8 7 6 5 4 3 2 1
X IX VIII VII VI V IV III II I

Le Langage
des chiens

Sommaire

QUATRIÈME PARTIE

ÉCHECS
DE COMMUNICATION

CINQUIÈME PARTIE

LA MISE
EN PRATIQUE

Introduction

Le dictionnaire international du chien n'existe toujours pas, et c'est bien dommage. Les chiens et les êtres humains vivent ensemble depuis des milliers d'années, et nous continuons pourtant à avoir avec eux des échanges chaotiques. Nous disons « viens ! » et notre chien comprend « va sentir l'arbre, là-bas ! ». Les chiens nous flairent poliment pour faire connaissance, et nous sommes offensés par leur manque de raffinement. Nous leur demandons de dormir sur leur tapis, et ils vont prendre d'assaut le canapé. C'est à croire parfois que nous ne parlons pas le même langage.

Et c'est bien le cas. Quels que soient leur niveau d'intelligence et leur vivacité, les chiens entendent, pensent et voient le monde tout à fait différemment de nous, ce qui crée invariablement des malentendus.

Un jour, dans un parc, je vis un magnifique Setter irlandais en train de jouer avec une balle de tennis. Il la projetait avec son museau, lui courait après, et recommençait. Quand il me vit, il courut vers moi, laissa tomber la balle et me regarda d'un œil vif en fouettant l'air de sa queue. Alors que je me penchais pour ramasser la balle, j'entendis un grondement de mauvais augure, qui me figea sur place. Cet amical Dr. Jekyll

venait-il de se transformer soudain en Mr. Hyde ? Tandis que nous nous regardions, il se mit à agiter la queue un peu plus vite. Je me penchai à nouveau pour prendre la balle, mais le même Grrrr... m'en dissuada.

Décidant qu'une vieille balle de tennis détrempée ne valait pas la peine que je me retrouve déchiqueté, je fis demi-tour en marmonnant : « Ce clébard est complètement perturbé. » De retour chez moi, je racontai l'aventure à un ami, spécialiste du comportement animal, qui me remit tout de suite les idées en place.

Le chien n'était pas du tout perturbé, m'expliqua-t-il. C'était moi ! J'avais compris tout le contraire de ce que signifiaient les « joyeux » signes qu'il me faisait. Son regard, son expression alerte, sa queue qui remuait, tout cela exprimait un challenge. Tout en jouant, le chien me défiait de ramasser la balle. En me méprenant sur le « langage canin », j'avais surtout fait un faux-pas canin.

Les éditeurs de ce livre, ont décidé d'effacer ce malentendu une fois pour toute. L'un des problèmes majeurs que l'on rencontre en vivant avec un chien, c'est qu'il ne peut pas nous dire avec des mots ce qu'il ressent, s'il est triste ou heureux. Il ne peut pas nous expliquer pourquoi il ronge nos chaussures, pourquoi il a parfois des petits accidents à l'intérieur de la maison, ou pourquoi le tonnerre le terrorise. Il ne peut pas nous dire non plus pourquoi telle technique de dressage réussit et telle autre échoue. C'est à nous d'essayer de comprendre ce qu'il tente de nous dire et de faire en sorte qu'il nous comprenne aussi à son tour.

Nous avons parlé à des dizaines de spécialistes du comportement, de très haut niveau, à des dresseurs, à des vétérinaires, et leur avons demandé de nous expliquer le monde complexe de la communication canine, et de nous montrer comment améliorer nos échanges avec les chiens, dans des circonstances aussi variées que l'apprentissage d'un jeu de ballon ou un bavardage passionné sur leurs habitudes sanitaires.

Le langage des chiens est leur réponse. C'est un guide canin complet pour vous aider à communiquer de manière affective et efficace avec les chiens qui partagent votre vie. À notre grand étonnement, nous avons découvert que l'aboiement n'était qu'un des nombreux moyens, et l'un des moindres, par lesquels les chiens s'expriment. Pour comprendre vraiment les chiens, il faut regarder ce qu'ils disent : la position des oreilles indique soit qu'ils sont contents soit qu'ils sont malheureux, la queue remue amicalement en signe de bienvenue ou bat l'air en signe d'avertissement, le regard peut signifier « je t'aime » ou « garde tes distances ». Quant à leurs expressions faciales, elles nous révèlent beaucoup de choses sur leurs sentiments.

La communication étant, naturellement, bilatérale, ce livre propose de nombreux moyens d'aider votre chien à vous comprendre : les moments où il faut parler d'une voix plus aiguë ou plus grave ; les mots « forts » auxquels les chiens répondent ; les pires et les meilleurs noms à leur donner (ceux qui s'appellent Junon confondent parfois leur nom avec « non ») ; les gestes des mains auxquels ils répondent et ceux qui les rendent nerveux. Et ce ne sont là que quelques exemples. *Le langage des chiens* vous fera pénétrer à l'intérieur même de la vie des chiens, vous faisant découvrir leur vision, ce qu'ils entendent vraiment, pourquoi les odeurs sont si importantes pour eux. Ce livre vous procurera aussi des moyens étonnants pour utiliser ces informations afin de communiquer avec votre chien avec plus de clarté. Ce qui, après tout, est la base de toute bonne relation.

Matthew Hoffman

Matthew Hoffman

PREMIÈRE PARTIE

QUE DIT VOTRE CHIEN ?

Les chiens ont beaucoup de choses à dire, mais ils ne le disent pas de la même façon que nous. Ils nous parlent, et ils se parlent entre eux, par le langage corporel et les expressions faciales, et en aboyant, en gémissant, en grondant, en hurlant. Ils se servent aussi énormément de leur odorat et de leur ouïe, bien plus sensibles que les nôtres.

CHAPITRE UN

PARLEZ AVEC VOTRE CHIEN

Un chien occupe une place importante au sein de la famille. Vous allez partager une grande partie de votre vie en sa compagnie, aussi est-il important d'améliorer votre relation avec lui grâce à une meilleure communication qui sera à long terme, aussi bénéfique pour vous que pour lui.

L es chiens ont une aptitude inquiétante à comprendre ce que les gens ressentent. Ils n'ont pas de rancune. Ils nous aiment malgré nos faiblesses, et sont présents à nos côtés jour après jour. Notre relation avec eux peut durer plus longtemps qu'une carrière, qu'une amitié, et même que le mariage. Il n'est donc pas très étonnant que la plupart des gens parlent à leur chien. Ce sont vraiment nos meilleurs amis.

« Les chiens sont des membres à part entière de la famille », dit Marty Becker, vétérinaire. Bien que nous ne parlions pas un mot de « la langue Labrador », la communication directe se produit constamment entre notre chien et nous. Les chiens sentent nos états d'âme et nous permettent d'être entièrement nous-mêmes.

Il n'y a pas que les membres humains de la famille qui apprécient les liens étroits. Outre les avantages évidents – nourriture gratuite, endroits confortables pour dormir et caresses quotidiennes sur le ventre – les chiens tirent de leurs relations avec nous une extraordinaire complétude. Étant naturellement sociables, ils considèrent les humains comme faisant partie de leur meute – équivalence canine d'un foyer heureux. « S'étendre près de nous et nous écouter parler, cela fait partie de leur vie au sein de cette horde humaine », dit Mary Merchant, une Canadienne thérapeute pour chiens.

Quand ils vivaient à l'état sauvage, les chiens rôdaient en groupes très compacts, appelés meutes. La famille humaine de ce Golden retriever est devenue sa meute.

Abattre les barrières

Même si nos relations avec les chiens incluent certaines qualités « humaines », telles que le respect mutuel et l'affection, il reste entre eux et nous une distance inévitable. Après tout, nous n'appartenons pas à la même espèce, nous voyons le monde et communiquons de manières complètement différentes. Parfois, les chiens nous envoient des messages que nous ne pouvons pas déchiffrer, et il nous arrive de vouloir leur communiquer des choses sans savoir comment nous y prendre. Cela ne veut pas dire que nous sommes incapables de parler à notre chien, mais que nous devons essayer avec un peu plus d'acharnement.

« Quand les gens ont des difficultés relationnelles avec leur chien, c'est généralement parce qu'ils considèrent que les chiens sont comme eux », déclare Jeff Nichol, vétérinaire et journaliste.

Mais les chiens ne sont pas comme les gens, ce qui explique pourquoi les mots et les gestes ayant une signification pour nous n'en ont pas pour eux – ou, dans certains cas, en ont une complètement opposée à ce que nous essayons de leur faire comprendre.

Prenons, par exemple, le fait de serrer quelqu'un dans ses bras. C'est un grand signe d'affection. Mais les chiens ne ressentent pas la même chose. Ce qui peut évoquer ce geste, chez eux, c'est le fait de bloquer les épaules d'un autre chien avec leurs pattes quand ils veulent le dominer. Aussi les chiens peuvent-ils percevoir ces gestes – de la part d'humains ou d'autres chiens – comme des signes de compétition plutôt que d'affection.

Alors que les chiens sont plus susceptibles de mal interpréter les gestes que les mots, ils ne disposent pas d'un grand choix de mots. C'est pourquoi la communication orale peut être la barrière la plus difficile à renverser.

Ce qui n'empêche pas tout un chacun d'essayer. Les gens parlent sans arrêt à leur chien – de leur journée de travail, du confort de leur nouvel oreiller, ou de l'heure de la promenade qui approche. Les chiens ont des manières irréprochables, ils ont toujours l'air intéressé, même si la plupart des mots ne sont probablement pour eux qu'un brouhaha. Mais les mots ne sont pas si importants que ça, car sauf lorsqu'il s'agit

de leur nom et de quelques ordres qu'ils comprennent, ils réagissent surtout aux intonations et au langage du corps. Mais ils peuvent vraiment comprendre quelques mots et expressions, à condition qu'ils soient simples, bien prononcés, et utilisés à bon escient.

Un long cordon de mots, tel que « assis, assis, assis, je dis assis », n'a pas de sens. Merchant dit qu'ils « ne font que passer par-dessus la tête du chien ».

La meilleure façon de communiquer plus clairement est sans doute de faire plus attention à votre chien – non seulement à ses aboiements, mais aussi à ses mouvements et au langage de son corps.

LE BON ?? TRUC

Pourquoi les chiens ne regardent-ils pas la télévision ?

On aurait pu croire que Lassie ou Rintintin allaient passionner tous les chiens, mais la plupart ne sont guère intéressés par le petit écran, quelle que soit l'émission proposée. C'est en grande partie parce qu'ils n'ont pas une très bonne vue. Ils réagissent davantage aux sons émis par la télévision – tels que les aboiements ou les sonneries de téléphone – qu'aux images, probablement trop brouillées pour eux. À l'avenir, cependant, les chiens risquent de passer beaucoup plus de temps en face du poste : des écrans plus grands et le développement de signaux digitaux rendent les images télévisées extraordinairement proches de la réalité. « Avec ces télévisions, les pixels sont extrêmement denses, ce qui donne des images et des sons comme il n'y en a jamais eu auparavant », déclare John C. Wright, spécialiste du comportement animal et professeur de psychologie animale. « Votre chien peut percevoir celui qui est sur l'écran comme un chien réel ».

LE BON TRUC

Certains chiens comprennent-ils plusieurs langues ?

Allemand, Italien, Swahili, la plupart des chiens peuvent comprendre n'importe quel langage, du moins les signes corporels et le ton de la voix qui accompagnent les paroles.

Cependant, certains langages sont plus efficaces que d'autres pour capter l'attention d'un chien. Par exemple, le ton bourru, guttural de l'allemand évoque davantage le « commandement » que les tonalités lyriques du français, plus légères. Un chien qui reçoit un ordre en allemand peut ne pas avoir la moindre idée de la signification des mots, mais cela aura l'air assez important pour qu'il vérifie le langage corporel de celui qui parle afin de voir ce que l'on attend de lui.

Misty, un Border colley croisé, était multilingue. Elle réagissait aux ordres donnés en latin, français, espagnol et anglais, affirme Joanne Howl, vétérinaire. Le docteur Howl regardait Misty et levait l'index et le pouce en disant : « Bang, you are dead » ou « Bang ! Tu es morte ! » et Misty tombait, les pattes en l'air et faisait la morte, comme au théâtre.

Les chiens semblent aussi être multilingues quand il s'agit de lire le langage corporel d'autres races.

« Quand un chien en voit arriver d'autres la queue en l'air, il ressent une menace, » dit John W. Wright, expert du comportement animal et professeur de psychologie animale.

« Mais un Berger allemand sait, d'une certaine façon, qu'un Beagle marche toujours la queue en l'air. Le Berger allemand comprend la différence de signification ».

« Cela demande beaucoup de pratique de savoir bien écouter car nous avons souvent des idées préconçues de ce que notre chien veut nous dire », explique Laurel Davis, vétérinaire. « Si vous prenez le temps d'écouter, vous pouvez beaucoup apprendre de votre chien »

Voir le monde à leur façon

Les chiens se sentent parfaitement chez eux dans la famille humaine, mais les conflits sont presque inévitables car les chiens et les gens n'ont pas les mêmes règles de vie et peuvent voir une situation de façon complètement différente. Par exemple, vous êtes content de voir arriver le facteur, mais votre chien le considère comme un intrus. Votre chien va vous sembler paresseux parce qu'il ne bouge pas de la porte d'entrée, mais c'est probablement parce qu'il est en train d'affronter un défi. Vous lui achetez une corbeille à grands frais, mais il continue à grimper dans le fauteuil – non pas, comme vous pourriez le croire, parce qu'il est plus doux, mais parce qu'il est plus haut et que cela permet à votre chien de se sentir plus puissant.

Parler avec son chien, c'est beaucoup plus que donner des ordres. Cela implique de comprendre les raisons de ses agissements. La chose la plus importante à se rappeler est que les chiens, à l'origine, vivaient en meutes. Presque tout ce qu'ils font, qu'ils se roulent sur le dos ou grognent quand vous leur dites de sortir du lit, est motivé par leur désir d'établir leur rang dans la « meute » familiale.

Ce qui ne signifie pas que chaque chien rêve d'être le maître, au contraire. Mais le fait de connaître leur statut au sein de la famille leur procure un immense bien-être, dit John Loomis, dresseur. C'est pourquoi l'une des principales lois qui régissent les rapports humains – selon laquelle nous sommes tous égaux – ne fonctionne jamais avec les chiens.

« Ce n'est pas ce que vous dites, mais la façon dont vous le dites qui compte », explique Janice DeMello, également dresseur. Quand vous dites à votre chien de descendre des sièges ou du lit, ne le faites pas sur le ton de la requête. La requête fonctionne avec les gens mais rarement avec les chiens. Quand vous donnez des ordres, prenez le ton adéquat, ferme et autoritaire. Votre chien comprendra qu'il s'agit de quelque chose de sérieux, mais le plus important, c'est qu'il se souviendra que son statut dans la famille est inférieur au vôtre. Loin de vous en porter rancune, il pourra se détendre car il saura exactement où est sa place.

Parler avec les chiens, ce n'est pas uniquement leur dire de faire telle ou telle chose. C'est aussi comprendre ce qu'ils ressentent à chaque moment particulier. Les chiens ne sont pas très « verbaux », mais leur langage corporel, leurs expressions faciales et leurs mouvements offrent un moyen fantastique de saisir leurs pensées et leurs sentiments. « Vous pouvez apprendre beaucoup sur votre chien rien qu'en le regardant », affirme Amy Ammen, dresseur.

Communiquer avec les chiens consiste à leur faire parvenir des messages verbaux qui soient clairs et à comprendre aussi ce qui les motive.

En observant un chien de près, c'est beaucoup plus que ses émotions courantes, telles que la joie ou la tristesse, que vous apprenez à reconnaître. Vous saurez à quel moment il se sent impatient, à quel moment il s'ennuie, quand il aimerait avoir votre attention, et même ce qu'il est sur le point de faire.

Les chiens sont aussi complexes que les gens, et ils émettent souvent des signaux contradictoires. La queue peut vouloir dire « joue avec moi ! » alors que les yeux expriment : « je suis drôlement tendu en ce moment précis ». C'est pourquoi vous ne pouvez pas suivre les mêmes règles avec tous les chiens. Mais une fois que vous vous êtes familiarisé avec les habitudes et les expressions du vôtre, vous savez exactement ce qu'il éprouve – et la plupart du temps, ce qu'il essaie de vous dire. Vous développez avec lui un sens très fort de l'empathie, ce qui est le propre de l'amitié.

PARTICULARITÉ DE LA RACE

Très doués pour comprendre ce que les gens veulent leur faire faire, les Bergers allemands sont parmi les chiens d'utilité les plus populaires. Ce qui a moins à voir avec leur intelligence innée qu'avec leur besoin irrésistible de faire plaisir à leur maître. Plus que d'autres races, les bergers allemands sont en harmonie avec les gens qui vivent avec eux, ce qui leur facilite la compréhension des ordres verbaux, des signes de la main, des expressions du visage et du langage corporel.

CHAPITRE DEUX

LE LANGAGE DES CHIENS ENTRE EUX

Experts en communication, les chiens se servent non seulement de leur voix mais aussi du langage corporel, des expressions faciales, et des odeurs. Entre eux, ils captent les messages beaucoup plus vite que nous, mais en les observant de près, on apprend vite à les comprendre.

Les chiens ne perdent pas de temps à faire connaissance. En quelques secondes, ils savent quel est le sexe de l'autre, son âge, son statut, et ils comprennent tacitement quel est celui qui a le statut le plus élevé. Arrivés à ce point-là, ils vont soit commencer à jouer, soit partir chacun de leur côté. Ou alors, s'il y a dispute au sujet de celui qui domine, ils peuvent y mettre un terme par une lutte brève, et rarement très sérieuse.

S'il paraît sidérant que les chiens soient capables de réunir tant d'informations en si peu de temps, ce n'est en fait pas surprenant. Comme nous, ils ne comptent pas uniquement sur la voix pour communiquer. Ils utilisent tout, depuis le langage corporel jusqu'aux expressions faciales, en passant par les odeurs.

Ce que les chiens ont à dire

Les chiens ont un tas de choses à dire, qui se réfèrent souvent à leur passé. Parce que ce sont des animaux de meute, ils passent leur temps à déterminer leur statut : quelle est leur place dans la structure sociale, et qui commande. Ils parlent aussi de la délimitation et de la défense de leur territoire, ainsi que de leurs possessions telles que la nourriture, les jouets, et même (de leur point de vue), les humains.

« Bien que leurs émotions ne durent pas aussi longtemps que les nôtres, les chiens ressentent aussi la peur, l'excitation, le bonheur, le stress, l'incertitude et la confusion », dit Chris Kemper, dresseur. Et, contrairement aux humains, les chiens n'ont aucune raison de dissimuler leurs émotions. Il suffit de regarder comment ils agissent et

Ces deux chiens se transmettent beaucoup de choses par le langage corporel. Le Keeshond (à gauche) s'intéresse à son nouvel ami, mais il maintient sa domination en restant debout sans bouger. L'attitude de l'Épagneul gallois est amicale, mais définitivement soumise.

réagissent quand ils sont entre eux pour avoir une bonne idée de ce qu'ils tentent de communiquer.

Apprendre à communiquer

Au cours de leurs sept ou huit premières semaines, les chiots apprennent les bases de la communication avec le meilleur de tous les professeurs : leur propre mère. Par exemple, quand elle veut commencer à les sevrer (au moment où leurs petites dents pointues font leur apparition), elle retrousse les babines pour les avertir qu'ils ne doivent pas insister, explique Wendy Volhard, dresseur. « S'ils persistent, elle se met à gronder doucement. Si elle n'a toujours pas réussi à se faire comprendre, elle gronde pour de bon, signifiant ainsi qu'elle ne plaisante pas ».

En même temps, la mère leur fait savoir ce qui est acceptable en ignorant leurs actions, ou en les reconnaissant avec désinvolture. « Si un chiot attrape un de ses frères par les oreilles juste pour jouer, sans vouloir lui faire de mal, sa mère lui fait comprendre en ignorant son comportement que ce qu'il fait est bien », explique Marge Gibbs, dresseur et chroniqueur.

Les chiots apprennent aussi très vite à parler entre eux. Comme ils jouent en se mordant, ils se transmettent cet important message : « Arrête, tu me fais mal ! » Quand un chiot mord un peu trop fort un petit de la même portée, la victime pousse un cri perçant pour lui faire savoir qu'il a exagéré. Les chiots apprennent vite à maîtriser leurs coups de dents, ce qui est la garantie qu'ils vont tous bien s'entendre. « Vous pouvez vous mettre à crier comme un chiot pour qu'ils cessent de vous mordre », conseille Volhard. « C'est beaucoup plus efficace que n'importe quel ordre verbal, car vous parlez le même langage qu'eux ».

LE BON TRUC

Pourquoi les chiens aboient-ils en chaîne ?

Si vous vivez dans un environnement où il y a plus d'un chien, vous devez connaître ces horribles « aboiements en chaîne », équivalence canine du chant en canon. Un chien commence le vacarme, et ceux des jardins voisins viennent bientôt se joindre à lui. Parfois, ils aboient tous contre la même chose, par exemple une bicyclette qui passe devant chaque maison. Mais à d'autres moments, personne ne saurait dire ce qui a mis le feu aux poudres. « Dans les activités de groupe, il s'agit parfois d'essayer d'avoir l'air – ou, dans ce cas précis, le son – d'être important » dit Mark Feinstein, spécialiste du comportement animal. « On voit cela dans le comportement grégaire du bétail, et peut-être l'aboiement en chaîne signifie-t-il la même chose ».

Certains chiens, cependant, ne se joignent pas au concert. Les races travailleuses comme les Kuvasz ou les Bergers de Maremme sont les premiers à s'éloigner de la chaîne d'aboiements car ils ont été élevés pour vivre au milieu des animaux qui leur sont confiés, sans perturber le troupeau.

À l'inverse, les chiens de chasse tels que les Bassets et les Limiers donnent de la voix, tout comme les Terriers, dont le rôle traditionnel est d'aboyer pour faire savoir à leur maître qu'ils ont trouvé du gibier.

Parler le langage corporel

Tout au long de sa vie, le chien emploie le langage corporel comme principal moyen de communiquer avec ses congénères. Il utilise ses yeux, sa queue, ses oreilles, et une posture globale pour leur faire savoir ce qu'il a en tête. Quand deux chiens se rencontrent,

Ces Ridgebacks rhodésiens passent un très bon moment en faisant semblant de se battre. Le chien de rang inférieur se soumet en roulant sur le dos, le ventre en l'air.

la première chose qu'ils font est d'établir leur rang. Un chien qui veut dire « j'ai confiance, je n'ai pas peur, et que peux-tu faire contre ça ? » adopte une attitude menaçante en levant les pattes, la queue, en redressant les oreilles et en établissant un contact avec le regard. Si un autre chien, d'un rang inférieur, veut répliquer « pas de problème, chef », il baissera la queue et les oreilles et s'accroupira, probablement, ou se léchera les babines.

Quand un chien veut en inviter un autre à jouer, il n'y a aucun risque de se méprendre sur son message : « Il est heureux, haletant, souriant, et sa queue remue si vite que tout son arrière-train se tortille », dit Gibbs. Il peut se laisser tomber pour faire une révérence ludique, puis se redresser et faire semblant de courir – n'importe quoi pour inciter son ami à un jeu de pattes ou de bagarre. D'un autre côté, si, après avoir joué longtemps, l'un des chiens décide qu'il en a assez, il va commencer à ignorer son compagnon de jeu. Si cela ne marche pas, il peut retrousser une

babine, gronder ou même essayer de le mordre pour qu'il n'insiste pas.

Les chiens ne restent pas longtemps en colère, et généralement, l'un des deux essaie de ramener leur relation à un niveau amical. Il le fera en utilisant un bon nombre des gestes qu'il faisait quand il était petit pour s'attirer attention et considération.

Le rôle du jeu de bagarre

En même temps qu'un amusement, le jeu de bagarre aide à comprendre l'ordre hiérarchique. C'est aussi un excellent moyen pour un chien de rang inférieur de défier, ne serait-ce que brièvement un autre chien dont il n'a jamais envisagé sérieusement d'usurper la position. « Il arrive souvent que deux chiens jouent à se battre. Il n'y a pas de sang mais juste une belle mêlée et beaucoup de grondements », dit Kemper. Vous en verrez un poser sa tête sur les épaules de l'autre pour lui montrer qu'il le domine. À la fin, celui qui est du rang inférieur va généralement rouler sur le dos, ce qui est sa façon de s'avouer vaincu.

Montrer son ventre est un signe classique de soumission qui vient de l'enfance, quand le chiot a compris qu'il ne courait aucun danger en se roulant sur le dos et en laissant l'autre gagner. Un chien ne fera pas de mal à un autre chien qui a abandonné la partie.

La plupart du temps, le jeu de lutte, même lorsqu'il est le plus cordial possible, a pour origine les démonstrations de domination. Et certaines races prennent les choses un peu plus sérieusement que d'autres, déclare Gibbs. « Les Labradors aiment les jeux brutaux, mais faites participer certains chiens de berger, ou des races nordiques telles que les Malamutes ou les Huskies, et le jeu deviendra une véritable bagarre ».

UN ABÉCÉDAIRE DU LANGAGE CORPOREL

Un chien comme ce Setter hongrois peut apprendre beaucoup de choses au sujet d'un autre chien par la simple observation du comportement des différentes parties de son corps.

Les yeux

- Un contact direct du regard signifie que le chien se sent audacieux et confiant.
- Un regard désinvolte signifie qu'il est content.
- Un regard fuyant signifie sa déférence.
- Des pupilles dilatées indiquent qu'il a peur.

Les oreilles

- Les oreilles pendantes signalent que le chien est calme.
- Les oreilles dressées montrent que le chien est alerte et attentif.
- Les oreilles dressées en avant signifient que le chien affronte un défi
- Les oreilles en arrière indiquent que le chien est inquiet ou effrayé.

Les mouvements du corps

- Donner des coups de pattes est un geste d'apaisement.
- Lécher le museau d'un autre chien est une invitation à jouer ou un signe de respect.
- La révérence ludique (pattes avant étirées, derrière en l'air, queue remuante) est une invitation à jouer.
- Mettre sa tête sur l'épaule d'un autre chien est un signe d'audace.
- Un chien qui s'arrête brusquement a peur.

Gueule et babines

- Quand le chien halète, c'est qu'il est excité, qu'il se sent d'humeur à jouer, à moins qu'il n'ait chaud, tout simplement.
- Un chien qui ferme les mâchoires est soit contrarié, soit calme.
- Un chien qui lèche les babines d'un autre est inquiet, ou il est en train de s'apaiser.
- La gueule relâchée signifie que le chien est calme.
- Les babines retroussées sont un signe de défi ou d'avertissement.

Le poil (épaules et hanches)

- Le poil hirsute indique l'excitation, soit parce que le chien est effrayé, soit parce qu'il défie un autre chien.
- Le poil couché signifie que le chien est calme.

La queue

- La queue relâchée signifie que le chien est calme.
- La queue en l'air, remuant en rythme et lentement, signifie que le chien est vigilant, ou sur ses gardes.
- La queue basse est un signe d'inquiétude ou d'incertitude.
- La queue haute et s'agitant rapidement indique l'excitation.
- La queue érigée est un signe de vivacité.
- La queue entre les pattes est un signe de frayeur.

Communiquer avec l'odorat

Pour les chiens, il existe un immense royaume de communications fondées sur les odeurs, qui dépasse l'imagination humaine. Les chiens peuvent détecter et identifier des odeurs dont nous ignorons totalement l'existence, car leurs glandes olfactives sont un million de fois plus sensibles à certaines odeurs que les nôtres.

Bien que nous puissions faire la moue en voyant la façon caractéristique qu'ont les chiens de lier connaissance – la méthode du nez-au-derrière – cela fonctionne bien pour eux. Les poches anales qui se trouvent juste en-dessous de leur queue contiennent des sécrétions glandulaires dont la composition varie d'un chien à l'autre. Grâce à un seul reniflement, ils peuvent en savoir plus long que nous par un coup de téléphone : l'âge de l'autre chien, son sexe, son rang, sa santé, et s'il (ou elle) a été opéré.

Les chiens recueillent et délivrent des messages d'odeur partout où ils vont. Un de leurs principaux moyens de communication est la trace laissée par l'urine. L'odeur de l'urine normale diffère de l'urine utilisée pour marquer le territoire. Les mâles sont beaucoup plus enclins que les femelles à se comporter ainsi. C'est leur façon de dire à tous les intrus potentiels : « entrez à vos risques et périls ». Votre chien finira par les accueillir amicalement, mais ce comportement est enraciné en lui.

Les renifleurs peuvent déterminer « l'attitude » du chien qui a fait sa marque avant lui. « Une fois, j'ai vu un mâle très dominant marquer un arbre », dit Kemper. « Plus tard, un chien plus soumis a senti l'endroit et a reculé immédiatement, il paraissait avoir une réaction de soumission à l'urine elle-même ».

Certains chiens de compétition sont connus pour déposer une trace sur les jambes de leur

Le marquage par l'odeur est l'un des principaux moyens de communication pour les chiens comme ce Labrador, ce qui explique pourquoi la moindre petite promenade peut être interrompue par une dizaine d'arrêts-pipis.

entraîneur, dit Mary Merchant, éleveuse de Colleys et thérapeute canine. Ceci est dû au fait que, confrontés à un tel degré de compétition, ils se sentent poussés à revendiquer leur droit de propriété, qui est, en l'occurrence, leur maître.

Au cours d'une promenade, vous verrez probablement votre chien flairer et uriner aux mêmes endroits. « Il doit sentir l'odeur d'un autre chien et se dire : « Ça ne va pas ! C'était mon arbre, pas le tien », puis marquer à nouveau cet arbre », explique Kemper.

L'urine n'est pas la seule chose qui laisse des messages intéressants aux autres chiens. Essayez d'éloigner votre chien des selles d'un autre ! Cette rencontre est presque aussi intéressante que s'il voyait son congénère en chair et en os, car lorsqu'ils se rencontrent vraiment, ils commencent à être attirés par leur arrière-train.

S'exprimer par la voix

L'être humain s'exprimant surtout oralement, il pense naturellement que l'aboiement est le principal moyen de communication des chiens entre eux. Pourtant, l'aboiement est beaucoup moins important pour un chien que d'autres formes de communication, tels le langage corporel ou les marques d'odeurs.

Les aboiements, les gémissements, les hurlements ont pourtant une place dans le dictionnaire canin. La façon dont votre chien « parle » dépend de son humeur et de ce qu'il désire.

Aboiement

C'est une méthode efficace pour obtenir l'attention d'un humain ou d'un autre chien. Il annonce aussi le territoire d'un chien, et l'aide à se soulager de son stress. Des aboiements différents ont des significations différentes :

- une série d'aboiements aigus signifie que votre chien est inquiet ou qu'il se sent seul et veut qu'on s'occupe de lui ;
- un seul aboiement, de sa voix normale, signifie qu'il est vif, curieux, et qu'il fait les premiers contacts ;
- des aboiements aigus, rapides et répétitifs signifient que votre chien a envie de jouer ou qu'il a aperçu quelque chose qu'il veut chasser ;
- un aboiement sourd et répétitif – celui que fait votre chien à l'approche d'un étranger – signifie qu'il est sur la défensive et qu'il vous protège.

Grognement

Le grondement est un indiscutable signe d'alarme. Les chiens s'en servent pour dire à d'autres chiens ou à des humains de s'en aller. Ils grognent aussi quand ils sont effrayés :

- quand votre chien associe à un grognement une posture de domination, c'est qu'il se sent agressif ;
- s'il associe à un grognement une posture de soumission, il a peur et reste sur la défensive ;
- Un grognement quand il joue n'est pas agressif.

Hurlements

Le hurlement est l'équivalent pour le chien de notre téléphone : c'est sa façon de joindre les autres, même lorsqu'ils se trouvent à des kilomètres :

- un hurlement modulé sert à contacter les autres chiens et signifie qu'il est curieux et content ;
- des hurlements plaintifs, lugubres sont des signaux de détresse.

Gémissements ou geignements

Le gémissement remonte à l'enfance du chien, quand il utilisait ce moyen pour attirer l'attention :

- quand votre chien est excité ou qu'il se sent seul, il va geindre ou gémir pour attirer votre attention ;
- quand il est stressé, effrayé ou inquiet, il va émettre des gémissements étranglés et répétitifs aigus.

PARTICULARITÉ DE LA RACE

Certains chiens commettent l'erreur d'en défier d'autres dont les oreilles et la queue sont naturellement dans une position « agressive ». Les chiens de race aux oreilles droites et à la queue relevée sur le dos, comme les Akitas inu, les Terriers du Congo et les Malamutes d'Alaska, doivent faire très attention aux chiens dominants car ils paraissent toujours prêts à se battre, même quand ils n'en ont pas envie. Ceux dont les oreilles ont été coupées, tels les Danois, les Dobermans et les Boxers peuvent aussi déclencher malgré eux le signal d'alarme chez les autres chiens.

CHAPITRE TROIS

LES MOYENS DE COMMUNICATION

Quand les chiens veulent parler avec les gens, ils ne se contentent pas d'aboyer.
Ils utilisent un large éventail de langage corporel pour exprimer ce qu'ils pensent
et faire comprendre ce qu'ils veulent.

Un chien regarde sa laisse avec envie en faisant le va-et-vient devant la porte. Le message est clair : « J'aimerais bien sortir ! » Un autre chien se tient tout raide, les oreilles dressées et la queue balayant lentement le sol. Son langage corporel et son grondement sourd et enroué signifient : « Je n'aime pas cette situation et vous feriez bien de prendre garde. »

Un autre encore va se livrer à une danse de tout son corps, en aboyant et en arrosant le sol à chaque fois que son maître rentre à la maison. Son message signifie simplement : « Tu es le premier dans mon agenda, et si je fais pipi, c'est uniquement pour te montrer que j'apprécie que tu t'occupes de moi. »

Et puis il y a Sir Loin, un Labrador noir, très aimé de son entourage, qui vit avec Marty et Teresa Becker. Sir Loin adore se faire gratter le ventre et il fait un numéro qui consiste à marcher au-devant des Beckers, à s'effondrer de façon théâtrale et à rouler sur le dos, le ventre exposé et la queue remuant à la vitesse de l'éclair. « Si nous n'avons pas le temps de lui gratter le ventre, il baisse la tête et se met à bouder, » dit le docteur Becker, vétérinaire. « Son message est très clair : nous l'avons déçu ».

Chacun de ces chiens délivre un message différent, mais ils ont une chose en commun : un riche vocabulaire constitué d'un langage corporel, de regards, d'un certain comportement, d'aboiements et d'une variété d'autres sons vocaux.

Certains messages sont évidents : ce petit chien demande clairement « laissez-moi entrer ». Tout n'est pas toujours si clair.

Les chiens ne peuvent maîtriser les mots parlés, mais ils n'en ont pas vraiment besoin car ils sont déjà experts pour attirer l'attention de leur maître. Pourquoi s'embêter avec des mots quand un aboiement joyeux, la queue qui remue, la tête penchée, une patte levée ou un regard plein d'âme peuvent envoyer des messages aussi précis ?

Des signaux que vous devez connaître

Il y a de légères différences entre les diverses races, et même parmi les chiens bâtards, mais ils communiquent tous de façons plus ou moins identiques. Les gens peuvent généralement dire ce que leur chien éprouve en jetant un coup d'œil à leur façon de se tenir ou de bouger, ou simplement en les regardant dans les yeux. Mais certains signaux ne sont pas si évidents. Voici quelques-uns des principaux moyens par lesquels les chiens communiquent avec les gens – et dans certains cas, avec d'autres chiens également.

Aboyer. Le chien a de nombreuses raisons d'aboyer. Cela peut signifier qu'il s'amuse, ou qu'il se sent effrayé ou seul. Ou encore qu'il veut attirer votre attention, qu'il vient d'entendre un bruit bizarre dont il veut que son maître prenne conscience. « Le ton de l'aboiement change avec les motivations du chien », explique David S. Spiegel, vétérinaire et spécialiste dans les problèmes du comportement. « Un chien paniqué ou anxieux aboie sur un ton et d'une façon typiques de la détresse. Il le fait pour nous attirer vers lui afin que nous l'aidions. »

Alors que la plupart des chiens aboient pour communiquer quelque chose, d'autres le font juste pour s'amuser, ou par habitude, ou simplement parce qu'ils s'ennuient. Ce genre d'aboiement peut durer la journée entière, et le chien deviendra vite la nuisance du quartier.

Ronger. Ronger est naturel chez le chien, qui tire une intense satisfaction de cette activité. Excepté les chiots, qui n'ont pas encore appris le règlement de la maison, les chiens comprennent rapidement ce qu'ils ont le droit de ronger. C'est donc rarement par erreur qu'un chien adulte déchire une paire de pantoufles ou grignote un magazine, dit Suzanne B. Johnson, spécialiste du comportement animal. En général, ils rongent quelque chose quand ils sont inquiets ou qu'ils s'ennuient. Cela peut signifier aussi qu'ils ont trop d'énergie et qu'ils ne font pas assez d'exercice pour la dépenser.

S'appuyer. Les chiens sont extrêmement tactiles et ne respectent pas « l'espace personnel » autant que les gens. Il est très courant qu'un chien s'approche de quelqu'un et s'appuie contre ses jambes. La plupart du temps, nous réagissons en nous penchant pour lui caresser la tête – ce qui n'est peut-être pas du tout la réponse qu'il attend.

Les chiens qui ne font que s'appuyer, contrairement à ce que font les chats qui se frottent contre vous, essaient parfois d'étendre leur territoire en empiétant sur le vôtre. Ceci équivaut alors au geste du chien qui se penche en avant avec agressivité pour dire « je suis un dur et je peux faire ce qui me plaît ».

Inversement, certains chiens s'appuient sur vous pour exprimer leur affection et établir leur possession, comme les gens qui se tiennent par la taille en marchant dans la rue. « Ma chienne, Kira, s'appuie contre moi pour m'empêcher d'aller ailleurs », affirme Joanne Howl, vétérinaire. « Et parfois, naturellement, votre chien s'appuie contre vos jambes uniquement pour se gratter à un endroit difficile à atteindre avec sa patte ! »

Se frotter contre une jambe. Presque tous les chiens, à un moment de leur existence, montrent

Ce Boxer s'appuie contre les jambes de son maître pour lui montrer son affection ainsi que le fait qu'il lui « appartient ».

13

Ce jeune Labrador lèche le visage de sa maîtresse dans un geste d'affection et de respect.

un intérêt un peu excessif pour la jambe d'un humain. C'est une habitude désagréable que n'ont pas seulement les mâles. Certains ne peuvent s'en défaire, mais d'autres l'abandonnent rapidement s'ils ont été castrés. Ce n'est pas une question de sexualité mais de pouvoir. Les chiens qui se frottent contre la jambe de quelqu'un veulent dire : « je suis plus haut que toi sur la barre du totem, » explique Jeff Nichol, vétérinaire et journaliste.

Lécher. Il fut un temps où la majorité des spécialistes croyaient que les chiens léchaient le visage de quelqu'un pour la même raison qu'ils léchaient leur mère – afin d'obtenir quelque chose à manger. Aujourd'hui, cet acte est considéré davantage comme un hommage que comme une quête de nourriture. Un chien qui vous lèche le visage réaffirme son statut de subordonné et exprime son amour et son respect pour vous. « Il vous dit que vous êtes l'être le plus

merveilleux qui soit », explique le docteur Nichol.

Boiter. Il n'est pas impossible qu'un chien se foule une patte, mais cela arrive assez rarement, contrairement à ce que peut suggérer parfois, leur claudication, très théâtrale. Nombreux sont les chiens qui emploient ce signal classique : « occupe-toi de moi ! », capable de tromper parfois jusqu'aux spécialistes. Par une soirée pluvieuse, Robert Eckstein, spécialiste du comportement animal, fut victime de cette mise en scène.

« J'ai remarqué ce chien errant qui marchait sur trois pattes, comme si la quatrième était blessée. Une fois à l'intérieur de mon appartement, il a couru à toute allure sur ses quatre pattes et il a sauté sur le lit. Mission accomplie ».

Prendre la main entre les mâchoires. « Les chiens qui prennent votre main entre leurs mâchoires sans se servir de leurs dents vous font un accueil amical. C'est une pratique courante chez les Labradors et autres chiens d'arrêt, élevés pour ramener du gibier à leur maître sans l'abîmer », affirme Laurel Davis, vétérinaire. Cependant, ce n'est pas toujours fait dans une bonne intention. Quand les chiens jouent, l'un d'eux se sert souvent de ses mâchoires pour fermer celles d'un autre. Les chiens qui utilisent leurs dents sur les gens, même d'une façon contrôlée, deviennent beaucoup trop agressifs, et il n'est pas rare que d'autres attitudes agressives succèdent à ce genre de comportement.

Pousser avec le museau. Les chiens adorent pousser les gens avec leur museau. La plupart du temps, cela signifie simplement qu'ils veulent un signe d'affection, dit le Dr Nichol. « Ou alors ils considèrent que la chaise sur laquelle vous êtes installé est leur place favorite et ils veulent que vous vous déplaciez pour pouvoir en prendre possession », ajoute-t-il.

Sourire. Les Retrievers Chesapeake Bay sont connus pour relever leur babine supérieure quand ils sont heureux. Les Malamutes d'Alaska et les Samoyèdes sont bien connus eux aussi pour leurs expressions souriantes. Cependant, la majorité des chiens ne sourient pas comme les gens ; ils ont une expression qui peut vaguement ressembler à un sourire quand ils se sentent menacés et agressifs et qu'ils veulent montrer leurs dents.

Se lécher le museau. Les chiens qui se lèchent le museau sans arrêt sont invariablement mal à l'aise, affirme Judy Ibt, vétérinaire. Ils font souvent cela lorsqu'ils désirent s'imposer dans une situation nouvelle ou quand ils se demandent s'ils vont ou non s'approcher d'un étranger, dit-elle. C'est également courant, chez eux, quand ils se concentrent très fort, comme par exemple au cours d'une leçon d'obéissance.

Bâillement. En principe, les gens bâillent quand ils sont fatigués ou qu'ils s'ennuient, mais pour les chiens, le bâillement est souvent le signal qu'ils se sentent stressés. Un bon bâillement fait rapidement baisser leur tension et les aide à se calmer, dit le Dr Howl. Elle a soigné un jour une chienne croisée de Colley qui avait eu peur. Elle s'était accroupie, toute tremblante, sur le sol. Après que le Dr Howl lui eut caressé la tête et le corps pendant quelques minutes, et lui eut dit quelques mots apaisants, la

chienne a laissé échapper un grand bâillement avant de se lever. « Après encore trois ou quatre longs bâillements, elle s'est calmée, et elle est devenue ma meilleure copine », affirme le Dr Howl. « C'était fascinant de voir le stress abandonner son corps ».

Problèmes de communication

Les gens et les chiens parlent des langages différents, aussi n'est-il pas rare que certains messages passés entre eux soient mal interprétés. Il arrive que nous ne comprenions pas ce que veut nous dire notre chien. La plupart du temps, il tente de nous dire quelque chose mais nous ne réalisons même pas qu'il y a un message dans ce que nous voyons ou entendons.

Supposons que votre chien ait commencé à faire des trous dans votre jardin et que vous ne puissiez rien faire pour l'arrêter. Là, c'est plus qu'un problème de comportement : il a trouvé le moyen de vous dire qu'il en a assez de la routine quotidienne, qu'il manque de stimulation mentale, et qu'il est en train d'essayer de faire bouger les choses. Connaître ce qui motive le comportement de votre chien est la clef pour pouvoir le faire changer ou, quand il s'agit d'un comportement positif, pour l'encourager. Les chiens étant des animaux de compagnie, il est normal qu'ils préfèrent se trouver avec leurs maîtres plutôt que tout seuls. La majorité des signaux que peut envoyer un chien – qu'il

Quand les chiens sont un peu stressés, ils baillent pour se calmer eux-mêmes.

15

Une portée inattendue

C'était la fin du mois de novembre et une tempête d'hiver approchait. Ce n'était pas le meilleur moment pour mettre bas une portée de chiots. Mais les chiens ne peuvent pas ignorer l'appel de la nature davantage que les humains, aussi c'est précisément à ce moment-là qu'une grande chienne des Pyrénées, appelée Séminole, disparut de sa ferme. Pendant trois jours, on chercha Séminole et ses petits. La température chutait, le vent soufflait de plus en plus fort et la pluie commençait à geler. « Je n'arrêtais pas de penser à elle et de lui dire en pensée de venir me chercher », raconte son maître. C'était peut-être une coïncidence, mais sa pensée positive fut récompensée. À huit heures du soir, Séminole, trempée mais pressante, fit son apparition dans la grange – sans ses chiots. La chienne courut tout droit vers son maître. Elle aboya, lui gratta le bras avec une patte et fit tout ce qu'elle put pour attirer son attention. « Elle paraissait s'énerver parce que je mettais trop de temps à trouver la torche », poursuit son maître. « Elle avait faim et soif mais elle refusa l'eau et la nourriture. Elle n'avait qu'une idée, repartir ».

Elles se dirigèrent toutes les deux vers les bois voisins. De temps en temps, Séminole marchait aux pieds de son maître, et parfois elle le tirait, comme pour lui indiquer une direction. À un 1,5 km environ, Seminole conduisit son maître vers un bosquet de cèdres – et vers sa portée de neuf magnifiques chiots.

Il arrive toujours qu'un chien se comporte mal ou de façon excessive, et cela ne veut pas dire que de terribles forces psychologiques sont en jeu. Les messages que les chiens tentent de communiquer sont souvent très simples : « Je suis seul », ou « je suis jaloux », ou encore « je m'ennuie ». Ils n'agissent pas ainsi pour essayer de se venger ou pour vous causer des problèmes. Et ils ne se conduisent pas délibérément mal pour vous dire ce qui les ennuie. « En agissant ainsi, ils ne communiquent généralement pas de façon délibérée avec leur maître » affirme le Dr Howl. « Ils expriment ce qui se passe dans leur tête ».

En traduisant le langage canin, cela peut être d'un grand secours de prendre en considération la race de votre chien, conseille Steve Aiken, spécialiste du comportement animal. On ne peut pas ignorer les tendances propres à un chien, car il est certain qu'elles apparaîtront d'une façon ou d'une autre.

« Parce que les terriers étaient élevés pour creuser la terre et tuer des rongeurs souterrains, il sera naturel qu'ils aient envie de creuser votre jardin », ajoute Aiden.

Vous n'êtes pas obligé d'apprécier cet instinct, pas plus que l'instinct de ronger du Labrador, mais vous pouvez vous en servir, dit Aiken. Il y a des gens qui permettent à leur chien de creuser à certains endroits, où ils peuvent se livrer de tout leur cœur à cet exercice. Et la majorité des gens donnent à leur chien quelque chose à ronger. En comprenant les besoins des chiens, dit Aiken, nous pouvons leur donner tout ce qu'il leur faut avant même qu'ils le demandent.

remue la queue ou qu'il mordille les pieds de la table – sont vraiment destinés à attirer l'attention. Le chien qui saisit le portefeuille de son maître et commence à courir dans la maison n'essaie pas d'obtenir de la monnaie contre un billet. Il le fait parce qu'il sait que son maître va se précipiter derrière lui. Et quand cela se produit, il a réussi à faire jouer quelqu'un avec lui, ce qu'il cherchait depuis un bon moment.

CHAPITRE QUATRE

VOTRE CHIEN PEUT-IL LIRE DANS VOS PENSÉES ?

Certains chiens semblent avoir des pouvoirs extraordinaires. Ils sont capables de retrouver le chemin de leur maison à des centaines de kilomètres, et même de prévoir des tremblements de terre. Certaines personnes sont convaincues que les chiens peuvent aussi lire dans les pensées.

Ils se réveillent de leur sieste et se dirigent vers la porte quelques minutes avant que leur maître n'entre dans l'allée de la maison, et bien avant d'avoir pu entendre le bruit du moteur ou des pneus sur la route. Les chiens, qui d'habitude adorent les balades en voiture, s'enfuient quand vient le jour de leurs vaccins annuels. Certains chiens sentent si leurs maîtres vont avoir une attaque, d'autres peuvent détecter le premier stade d'un cancer de la peau, dans plusieurs cas, avec 99 % de précision. Pour l'es-

prit humain, ces phénomènes ainsi que d'autres formes de « lecture dans les pensées » sont rien de moins qu'étonnantes, mais pour les chiens, il ne s'agit que d'une activité quotidienne.

« J'ai aimé les animaux familiers toute ma vie, et je suis vétérinaire depuis plus de vingt ans, mais je ne peux toujours pas expliquer comment les chiens retrouvent leur maison ou comment ils peuvent nous guérir quand nous sommes malades ou que nous manquons de quelque chose », dit Marty Becker, vétérinaire. « Je ne sais pas s'ils lisent dans nos pensées ou dans notre cœur, mais ce qu'ils sont capables de percevoir me sidère constamment ».

Attention aux voitures !

Depuis des siècles, les gens spéculent sur les pouvoirs extra-sensoriels des chiens. La plupart des spécialistes ont abandonné l'idée selon laquelle leur prescience n'est, au mieux, qu'une coïncidence, au pire, qu'une supercherie. Mais il existe un scientifique qui n'en est

Personne ne sait vraiment comment ils font, mais certains chiens parviennent à retrouver leur maison, à des centaines de kilomètres.

pas si sûr. Rupert Sheldrake, ancien directeur d'études en biochimie et biologie cellulaire, décrit une expérience conduite par une équipe de télévision australienne. Ayant entendu dire qu'un chien de races croisées, nommé JT, pouvait prédire très précisément le retour de sa maîtresse dans leur maison, ils décidèrent de vérifier. Ils mirent au point une expérience dans laquelle JT et sa maîtresse étaient enregistrés simultanément, tandis que les images étaient projetées sur deux écrans de télévision. Le test était très convaincant : chaque fois que la maîtresse de JT, qui se trouvait loin, allait prendre sa voiture pour rentrer chez elle, son chien se dirigeait vers la porte-fenêtre de sa maison et s'installait pour l'accueillir. Sa maîtresse revenait à des heures vraiment irrégulières, et cependant JT les prévoyait avec précision à 85 %.

« J'ai réuni une base de données de plus de 2000 histoires sur les animaux familiers, et il ne semble pas qu'il y ait une véritable prédominance par races ou niveaux d'intelligence », explique le docteur Sheldrake. « Ce qui semble être la clef du phénomène télépathique chez l'animal familier, c'est la force des liens qui l'unissent à son maître ».

Au royaume des sens

Personne ne peut affirmer que les chiens sont capables de prédire l'avenir ou de lire dans les pensées de leur maître. Mais les spécialistes sont d'accord sur le fait que les chiens et beaucoup d'autres animaux ont des sens développés au-delà de ce que nous pouvons imaginer, ce qui peut expliquer leur inquiétante capacité à parcourir de longues distances sans carte ni boussole. Les pigeons voyageurs utilisent la configuration des étoiles et les champs magnétiques terrestres pour retrouver leur chemin. Les essaims de papillons monarques passent l'hiver

LE BON ??? TRUC

Les chiens peuvent-ils prédire les tremblements de terre ?

Les scientifiques ne savent pas très bien comment ils font, mais certains chiens sont capables d'annoncer des tremblements de terre bien avant que les premières secousses n'ébranlent le sol. Avec les instruments de haute technologie, les chiens (ainsi que d'autres animaux) sont considérés comme une part essentielle du système national de prévision des tremblements de terre au Japon et en Chine. Les spécialistes ont constaté que des heures, voire des jours avant le séisme, les chiens deviennent nerveux. Ils aboient pour un rien et, dans certains cas, fuient la zone menacée.

En 1975, les autorités de la ville chinoise de Haicheng furent suffisamment alarmées par le comportement inhabituel des animaux pour ordonner à 90 000 résidents d'évacuer la ville, qui fut frappée quelques heures plus tard par un terrible tremblement de terre. De l'ordre de 7,3 sur l'échelle de Richter, il détruisit 90 % des immeubles. Sans l'avertissement des chiens, la tragédie humaine aurait été beaucoup plus grave.

Partout dans le monde, des chercheurs étudient les raisons pour lesquelles les chiens prévoient les séismes. Ils supposent que les chiens détectent des sons de hautes fréquences provenant du plus profond du sol, des sons beaucoup trop élevés pour que les humains les perçoivent. Il est également possible que les chiens sentent les charges électrostatiques de l'atmosphère ou les vibrations de la terre. « Les chiens ont l'ouïe et l'odorat beaucoup plus aiguisés que nous », déclare Robert Eckstein, qui étudie le comportement des animaux. « Ils sentent des aspects du monde réel dont nous n'avons pas conscience ».

au Mexique puis ils reviennent vers les Montagnes Rocheuses, dans le Colorado. Et il y a de nombreuses histoires, qui ont été vérifiées, de chiens rentrant chez eux après un déménagement dans une nouvelle ville à des centaines de kilomètres.

Bien que l'histoire de JT suggère que les chiens peuvent communiquer avec leur maître à grande distance, les chercheurs supposent que l'explication a moins à voir avec la télépathie qu'avec leurs sens incroyablement développés.

Les chiens gardes-malades sont un bon exemple. De plus en plus utilisés comme « système de première alarme » par les personnes souffrant d'épilepsie, ces chiens ont la stupéfiante capacité d'avertir leur maître d'une crise imminente une heure avant qu'elle ne se produise. Cette anticipation permet à leur maître de prendre leurs précautions, d'aller s'asseoir, par exemple, ou de s'éloigner des escaliers, afin qu'ils ne se blessent pas quand la crise survient.

Cette capacité à détecter les crises donne l'impression qu'elle ne peut être le fait que d'un laboratoire de haute technologie – ou qu'elle ne peut avoir lieu que dans un film de science-fiction. Mais il y a une explication parfaitement plausible, déclare Roger Reep, professeur de médecine vétérinaire. Les chiens, explique-t-il, peuvent prévoir ces crises car leur odorat hautement développé leur permet de détecter les changements chimiques qui se produisent dans le cerveau juste avant la crise.

En fait, de nombreuses histoires canines de « télépathie » sont probablement dues aux sens surdéveloppés des chiens aussi bien qu'à leurs formidables dons d'observation, dit Robert Eckstein. « Dans la mesure où les chiens communiquent sans la parole, il est vraisemblable qu'ils peuvent déchiffrer ce qui se passe dans notre corps, pas dans nos pensées », ajoute le Dr Eckstein.

Cela peut expliquer pourquoi votre chien saute subitement et vous regarde avec l'air d'attendre quelque chose quand vous pensez qu'il faut l'emmener faire une promenade ou remplir sa gamelle. Inconsciemment, nous envoyons sans arrêt des signaux. Votre chien lit probablement les différents mouvements de votre corps – quand vous jetez un coup d'œil à la porte ou quand vous vous déplacez ou même quand votre respiration change. Le langage corporel est parfois si subtil que les autres personnes ne le remarquent jamais. Mais les chiens le remarquent car, à une époque, leur survie dépendait de leurs facultés d'observation. Quand ils vivaient en groupes compacts, en hordes ou meutes, chacun d'eux avait besoin de savoir ce que ressentaient les autres ou ce qu'ils étaient sur le point de faire. Les chiens apprenaient qu'en étant attentifs, ils gagnaient un avantage dans la lutte pour la vie, et ils ont toujours conservé cet héritage.

Connections mentales

Alors que de nombreux scientifiques doutent que les chiens puissent lire dans les pensées, certains vétérinaires croient qu'ils le font quotidiennement – et qu'il est également possible aux humains de lire dans les pensées de leur chien. Laurel Davis travaille avec la médecine vétérinaire courante et à l'occasion, elle explore la télépathie. Elle pense que les gens ont une capacité naturelle à communiquer de cette façon, capacité souvent plus forte chez l'enfant, et qui tend à diminuer chez l'adulte.

Même les gens qui n'ont jamais pensé une seule fois à la télépathie ont la possibilité de communiquer ainsi avec leurs animaux familiers, dit le Dr Davis. Elle raconte l'histoire d'une femme qui venait de suivre un séminaire de communication

DE PENSÉE À PENSÉE

La communication d'une espèce à l'autre n'est pas une histoire de science-fiction. Quand vous serez prêt à aborder la télépathie, voici quelques conseils donnés par des spécialistes de la communication animale :

• Restez tranquille dans un endroit calme pendant quelques minutes au moment où vous pourrez prêter toute votre attention à votre chien. Préparez quelques questions et messages à son intention.

• Respirez profondément pour vous relaxer afin de pouvoir concentrer votre énergie et débarrasser votre esprit de tout ce qui peut vous distraire.

• Prononcez en pensée le nom de votre chien et formez mentalement son image, aussi complète et détaillée que possible.

• Posez en pensée une question à votre chien ou envoyez-lui le message que vous voulez qu'il reçoive. Il est important de se concentrer sur les mots, pas en les prononçant oralement, mais en les formant dans votre tête.

• Relaxez-vous complètement et préparez-vous à recevoir n'importe quel message. Dans certains cas, vous pouvez entendre de véritables mots. Mais le plus souvent, vous allez recevoir une sensation ou une image mentale. Vous pouvez recevoir le sentiment très fort que votre chien est satisfait et heureux. Ou alors, une image de ce qu'il fait quand vous n'êtes pas là, ou de la raison pour laquelle il a eu récemment un comportement bizarre. Quel que soit le message reçu, vous devez le reconnaître mentalement pour que votre chien sache que vous l'avez capté.

Ne soyez pas étonné si vous ne recevez aucune image mentale, ajoute le Dr Laurel Davis. La plupart des gens n'ont pas l'habitude de ce genre de communication avec leur chien, et il leur faut une longue pratique pour apprendre à les « écouter » attentivement. Mais cela vaut la peine d'essayer. « En parlant avec les chiens par télépathie, j'ai découvert qu'ils ont bien plus de sagesse qu'on ne l'aurait imaginé », dit le Dr Davis. « Ils sont très spirituels ».

animale. Après les cours, elle vit un homme et un grand chien assis sur un parking. Elle décida d'expérimenter ce qu'elle venait d'apprendre au cours. Pendant dix minutes, elle resta immobile sur le parking et parla mentalement au chien. Puis elle se rapprocha de la voiture pour lui dire bonjour. Le chien l'accueillit chaleureusement, au grand étonnement de son maître, qui lui dit que son chien avait toujours été très agressif et qu'il n'avait jamais laissé personne s'approcher de la voiture.

Patty Symmers, est une professionnelle de la communication animalière. Pour elle, l'échange de pensées entre un animal et son maître n'a rien à voir avec les sens physiques, il s'agit de communication télépathique.

« Se situant au-delà de l'échange verbal et n'ayant rien de physique, la télépathie peut se faire à distance », ajoute-t-elle. « Souvent, les animaux sont sur la même longueur d'ondes que les gens avec lesquels ils vivent. Ils veulent savoir où ils se trouvent et ce qu'ils font. Quand quelqu'un rentre chez soi, il pense sans doute à la maison, et cette pensée est interceptée par son chien ».

Le docteur Davis affirme avoir parlé en pensée à des chiens qui se trouvaient à des kilomètres. Elle entame ces conversations en rompant la glace. Par exemple, elle leur demande ce qu'ils aiment, ce qu'ils n'aiment pas (elle constate souvent qu'ils aiment telle balle plutôt qu'une autre ou qu'ils détestent les croquettes). Une fois le contact établi, elle leur pose des questions précises qui l'aident à résoudre des problèmes précis.

« Quand je communique de cette façon avec des animaux, je dois faire attention à ne pas laisser des idées préconçues de ce qu'ils vont dire ou faire s'infiltrer dans ma pensée », dit-elle. « Il faut beaucoup de pratique pour savoir écouter les chiens ». La télépathie demande de la pratique, dit le docteur Davis. Même si vous n'êtes pas capable de capter tout de suite des signaux venant de votre chien, vous pouvez être persuadé qu'il comprendra sinon vos paroles, du moins les sentiments chaleureux et positifs que vous irradiez.

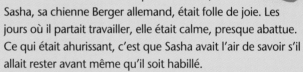

Sasha et la télépathie

Damon Miller n'arrivait pas à comprendre comment elle faisait. Les matins où il avait l'intention de rester chez lui pour travailler, Sasha, sa chienne Berger allemand, était folle de joie. Les jours où il partait travailler, elle était calme, presque abattue. Ce qui était ahurissant, c'est que Sasha avait l'air de savoir s'il allait rester avant même qu'il soit habillé.

Damon et sa femme, Katie, se demandaient s'il y avait un indice. Damon, dentiste, n'avait pas un emploi de temps fixe. Il prenait parfois ses mercredis, et il lui arrivait de travailler le week-end. Mais il annonçait rarement à l'avance quel jour il resterait chez lui. Et pourtant, Sasha le savait à chaque fois. Elle semblait lire dans sa pensée. Ou alors elle lisait dans ses chaussettes ! Damon et Katie finirent par réaliser que Sasha commençait à s'agiter, ou au contraire s'attristait, dès que Damon sortait ses chaussettes du tiroir de sa commode. Les chaussettes marron, qu'il mettait toujours pour aller travailler, signifiaient qu'il allait partir. Les chaussettes blanches signifiaient que la journée serait une partie de plaisir. « Quand Sacha voyait qu'il prenait les chaussettes blanches, elle se mettait à sauter, surexcitée », dit Katie. « Damon lui caressait la tête pour confirmer que c'était bien le « jour des chaussettes blanches », et ils partaient tous les deux vers l'atelier, au fond du garage, et passaient la journée ensemble ». Sasha lisait-elle dans leurs pensées ou détectait-elle les indices ? Les Miller ne sont pas encore vraiment sûrs de la réponse. « Nous savons seulement qu'elle détestait rester seule à la maison », conclut Katie.

CHAPITRE CINQ

LE NEZ SAVANT

L'odorat est l'un des principaux moyens de communication des chiens.
Ils se reniflent pour connaître l'âge de l'autre, son sexe, son statut.
Ils peuvent même connaître l'humeur de quelqu'un d'après son odeur.

Il existe un instrument puissant capable de détecter du tabac enveloppé dans 27 couches de polyéthylène, ou de localiser des termites silencieusement occupés à détruire les fondations d'une maison. Ce n'est pas une merveille technologique créée par les humains, et il n'est pas nécessaire d'être diplômé pour l'utiliser : il s'agit de l'odorat des chiens.

Les sens les plus développés de l'être humain sont la vue et l'ouïe. Chez les chiens, le sens de l'odorat est prédominant. L'odorat d'un chien est un million de fois plus sensible que celui d'un être humain.

Les chiens peuvent détecter des odeurs dont nous ne soupçonnons pas l'existence, et ils peuvent identifier la plus légère d'entre elles, même lorsqu'elle est recouverte par d'autres odeurs. C'est le cas notamment des traces d'héroïne laissées sur des grains d'anis très forts parmi lesquels elle a été cachée. L'odorat d'un chien est souvent plus puissant que les meilleurs instruments scientifiques. C'est pourquoi les chiens sont employés à détecter non seulement la drogue mais aussi les fuites de gaz et les explosifs, et à chercher les gens perdus dans la nature ou enterrés sous les avalanches.

Les chiens ont l'odorat si sensible que les officiers des douanes les utilisent pour chercher la drogue dans les bagages des voyageurs qui prennent l'avion.

Les chiens sentent des odeurs que nous ne sentons pas car ils ont une membrane nasale plus importante que la nôtre. Nous avons environ 162 cm^2 de membrane nasale, alors que les chiens en ont 2250, une surface plus importante que celle de la totalité de leur corps, explique Bruce Fogle, vétérinaire. La membrane nasale est entourée de récepteurs olfactifs, cellules spécialisées qui détectent les odeurs.

Un Berger allemand a quelque 220 millions de récepteurs olfactifs contre 5 millions environ chez l'être humain, selon Mark Plonsky, psychologue et maître chien. Il semble que plus le chien est grand et plus son museau est long, plus son sens de l'odorat est fin. Les capacités olfactives des Bergers allemands sont non seulement supérieures aux nôtres, mais aussi à celles d'autres races canines : un Fox terrier a 150 millions de récepteurs olfactifs et un Basset en a environ 125 millions.

Les chiens ont un avantage supplémentaire : leur museau est toujours humide, comme le savent tous ceux qui ont, un jour, été réveillés par cette sensation froide et mouillée. Les scientifiques pensent que cet enduit humide agit presque comme du Velcro, sorte de piège à molécules d'odeurs flottant près de lui. Avec le mucus collant qui se trouve dans les passages nasaux, cela permet aux chiens de collecter et d'engranger un grand nombre de molécules.

Les odeurs ne dérivent pas vers leur museau, ce serait trop simple. Les narines d'un chien sont comme des antennes. Les chiens les agitent pour ramasser les odeurs et comprendre d'où elles viennent.

Quand votre chien relève la tête et se met à flairer, il change son rythme respiratoire normal pour réunir de nouvelles informations. Les courants aériens bourdonnent d'informations qu'il attend impatiemment d'examiner afin de savoir ce qui se passe.

HISTOIRE DE CHIEN

Un détective né

Rex, un Fox terrier, vécut huit années de bonheur dans la banlieue de Sydney, en Australie, jusqu'au jour où ses maîtres, Ræ et Ted Humphries, commencèrent à être moins souvent chez eux. Ils pensèrent alors que Rex serait plus heureux s'il allait vivre chez des amis, à plus de trente-cinq kilomètres. « Je n'aimais pas l'idée qu'il reste seul toute la journée, explique Ræ, et je croyais qu'il serait mieux là où il aurait plus de compagnie ».

Mais Rex n'était pas d'accord. Il s'enfuit de sa nouvelle demeure dès le lendemain de son arrivée. Ses nouveaux maîtres le cherchèrent pendant plusieurs jours, mais il était introuvable. Ils durent se rendre à l'évidence : Rex ne reviendrait pas.

Trois mois plus tard, dans la soirée, Ræ entendit un grattement à la porte d'entrée. C'était Rex. « Il était maigre et couvert de boue, mais il était si heureux de me revoir ! »

Elle ne voyait pas comment il avait pu retrouver son chemin en ayant des voies de chemin de fer, des autoroutes, et la campagne à traverser.

« J'ai entendu dire que les chiens ont un odorat extraordinaire. J'imagine que c'est ce qui lui a permis de revenir chez nous », dit-elle. « Après cette escapade, nous avons compris qu'il valait mieux le garder avec nous ».

Les chiens, comme ce chien du pharaon, reniflent l'air pour collecter des molécules d'odeurs et localiser leur provenance.

Il doit renifler rapidement pour attirer l'odeur dans ses sens olfactifs, sinon, il éteint son sens de l'odorat, dit Caroline Coile, neurologue.

Tout cela signifie que les chiens ont la capacité d'aspirer et d'identifier des odeurs dont les humains ne connaissent pas l'existence.

Les molécules d'odeurs glanées avec chaque reniflement sont finalement distillées et dirigées vers différentes parties du cerveau, en particulier vers celles qui sont consacrées à la mémoire et à l'interprétation des données. Les chiens peuvent piocher dans cette banque de senteurs pendant toute leur vie.

« Les odeurs ont une forte influence sur le comportement et sur la physiologie du chien, » explique le docteur Fogle. « Les souvenirs d'odeurs durent la vie entière et influencent presque tout leur comportement. Les odeurs leur indiquent où ils se trouvent, qui est tel chien, telle personne, et dans quel état d'esprit se trouve l'être qui est en face de lui ».

bouches d'incendie glanent un nombre impressionnant d'informations en lisant les messages odorants que les autres chiens ont laissés.

Par exemple, quand les chiennes sont en chaleur, leur urine contient des phéromones – molécules d'odeurs – qu'elle n'a pas les autres jours. Les mâles sont naturellement avides de ce genre d'informations.

« Ce n'est pas uniquement l'urine qui contient des signaux odorants », déclare Ian Dunbar, vétérinaire. « Les glandes anales, les selles et la salive contiennent elles aussi des informations olfactives que les chiens sont impatients de découvrir ».

Même si les chiens font connaissance en se reniflant mutuellement le museau, c'est l'arrière-train qui retient le plus leur attention. Un reniflement rapide révèle beaucoup de choses : l'âge du chien, son sexe, s'il a été castré ou non, s'il est de la même race ou si c'est un étranger. Les odeurs révèlent aussi le degré de confiance d'un chien et son statut social, et son humeur au moment de la rencontre. Les

Comment les chiens communiquent par les odeurs

Ce n'est pas par indélicatesse qu'un chien lève la patte contre un arbre. En fait, il laisse un message sur le tableau communal. Les odeurs d'urine sont aussi personnelles que les empreintes digitales des humains. Les chiens qui reniflent les arbres, les poteaux électriques et les

En reniflant le sol, ce Border collie apprend l'âge, le sexe et le statut des chiens qui sont entrés sur ce qu'il considère comme son territoire.

Ces Picardy shepherds ont engagé la conversation par de classiques reniflements. Ils peuvent ainsi collecter une foule d'informations personnelles.

chiens font une synthèse de toutes ces informations et se rendent très vite compte de ce que seront ses relations avec son congénère.

Bien que cela dure plus longtemps avec un chien qu'ils ne connaissent pas, même les chiens qui partagent la même maison se reniflent fréquemment. Les béhavioristes ne sont pas sûrs de connaître la raison pour laquelle les chiens qui se connaissent bien continuent cette pratique. Ce n'est peut-être que l'équivalence canine de notre « Comment vas-tu ? » avant de se mettre à bavarder.

La fascination d'un chien pour les odeurs ne s'arrête pas quand il cesse de flairer. Même les chiens qui passent leur vie en appartement se roulent instinctivement dans les choses les plus sales et les plus malodorantes à la première opportunité. « C'est du camouflage », explique Torry Weiser, dresseur. « Ils se servent de l'odeur d'une autre créature pour tromper la proie qu'ils convoitent et s'en approcher ». Il est vrai que les chiens n'ont

plus vraiment à se soucier désormais de proies et de prédateurs, mais l'instinct perdure. « Cela semble leur procurer une intense satisfaction », ajoute Weiser. « Ce n'est pas du parfum pour nous, mais il faut croire que c'en est pour eux ».

Ce que les odeurs humaines racontent aux chiens

Votre chien connaît votre odeur, classée dans sa mémoire avec celle de tous les gens qu'on lui a présentés. Il se souvient de certaines personnes avec affection, d'autres avec effroi ou horreur, et sa « mémoire olfactive » se déclenche chaque fois qu'il les rencontre.

L'odeur que les chiens préfèrent est celle de leur maître. « C'est une odeur familière qui apporte réconfort et sécurité », dit Weiser. C'est pourquoi les spécialistes recommandent de laisser un vieux vêtement à côté de votre chien quand il doit rester seul, quelle que soit la durée. Le vêtement ayant l'odeur de son maître, le chien est rassuré.

Et, que cela vous plaise ou non, votre chien peut connaître votre humeur grâce à votre odeur, laquelle varie selon vos changements d'humeur. Les chiens sont censés pouvoir détecter cela.

Les recherches ont montré aussi que les « larmes de joie » contenaient des éléments chimiques différents des « larmes de tristesse », et certains spécialistes croient les chiens capables de faire la différence – et de savoir tout de suite s'ils doivent vous donner un petit coup de museau sur la main ou rester à une distance prudente en attendant que vous vous calmiez.

Votre parfum, votre déodorant, la fumée de vos cigarettes et d'autres odeurs qui flottent sur votre peau et vos vêtements se mêlent toutes pour créer votre odeur personnelle. Changer cette « image »

PARTICULARITÉ DE LA RACE

Ce sont les chiens de chasse, chiens courants ou chiens d'arrêt, tels que les Français, les Beagles, les Elkhounds norvégiens (ci-contre) et les Labradors qui ont l'odorat le plus sensible. Mais l'odorat de tous les chiens peut être amélioré grâce à un entraînement approprié.

Les Elkhounds norvégiens ont un odorat étonnant, qui leur permet de sentir du gibier à plus de quatre kilomètres.

d'odeurs composites d'une façon quelconque – en utilisant un nouveau parfum, ou en n'en utilisant plus, par exemple – peut perturber un chien et l'empêcher de reconnaître quelqu'un aussi vite que d'habitude.

Les chiens se moquent que vous soyez en sueur ou que vos mains aient une odeur âcre, mais certaines odeurs les font fuir, notamment celle des agrumes – citron, citron vert et orange – et les odeurs épicées comme celle du poivron rouge. Ils détestent particulièrement l'odeur de la citronnelle, qui est souvent utilisée pour les éloigner de certains endroits.

Il y a aussi des odeurs qui attirent les chiens et qui nous font fuir. Si les poubelles n'ont rien de délectable pour nous, elles représentent pour eux un véritable buffet campagnard. Parfois, la maladie, ou un accident, peut affaiblir leur odorat. « Les chiens ayant moins d'odorat ont l'air de s'en sortir très bien », dit le docteur Coile. Elle explique qu'ils sollicitent davantage leurs autres sens pour obtenir les informations qui leur sont essentielles. Cependant, ils peuvent aussi commencer à perdre l'appétit, l'odeur de leur nourriture étant encore plus importante pour eux que son goût. C'est pourquoi les vétérinaires conseillent souvent de la réchauffer dans ces cas-là, ce qui en dégage l'arôme et peut les aider à retrouver l'appétit.

L'ODORAT AU TRAVAIL

Les chiens qui travaillent utilisent leur odorat pour réussir des opérations délicates. Parmi les professions canines qui requièrent un bon odorat, on trouve la détection de la drogue et des explosifs, ainsi que les sauvetages. Les chiens spécialement dressés peuvent aussi localiser des gens coincés sous des avalanches ou sous des décombres.

En Californie, un groupe de Beagles est employé par le Département américain de l'agriculture dans les aéroports et dans les locaux des postes pour détecter les fruits, plantes et viandes illégalement importés aux États-Unis.

Les recherches ont montré que le nez de ces chiens contient des récepteurs à infrarouges sensibles à la chaleur. Combinés à leur subtil odorat, ces récepteurs aident les chiens à trouver les gens profondément ensevelis sous la neige.

Les chiens peuvent aussi être dressés pour suivre les traces des gens perdus dans les régions désertiques. Et ils peuvent détecter des cellules de peau humaine aux endroits où les gens se sont trouvés avant eux.

CHAPITRE SIX

Au-delà de l'ouïe humaine

Les chiens ont une ouïe extrêmement fine et font davantage attention aux bruits que nous. Vous pouvez profiter de cette supériorité pour les aider à apprendre plus rapidement.

Parvenez-vous à entendre une souris couiner à l'intérieur d'un mur, ou les ultrasons d'une alarme d'incendie quand elle arrive en fin de course, ou encore un imperceptible coup de tonnerre, longtemps avant qu'il n'arrive jusqu'à vous ? Vous n'avez aucune chance, mais pour les chiens, ces bruits-là et d'autres sons aigus ou faibles résonnent avec autant de clarté et de force que le son d'une cloche.

Cette ouïe phénoménale remonte aux temps où ils vivaient à l'état sauvage, et où leurs capacités à entendre le moindre son étaient déterminantes

pour qu'ils puissent trouver leur nourriture. Bien qu'ils n'en aient plus besoin pour leur survie depuis longtemps, ils s'en remettent toujours à elle pour se faire une meilleure idée du monde qui les entoure.

Les spécialistes ont constaté que les chiens peuvent entendre des bruits à des distances quatre fois plus longues que nous ne pouvons ; en un mot, ce qu'une personne peut entendre à cent mètres, un chien peut l'entendre à 400 m. Les chiens peuvent aussi capter de très hautes fréquences qui échappent à l'oreille humaine.

Les chiens n'ont pas une vue d'une clarté cristalline, mais ils rattrapent largement cela grâce à leur ouïe extrêmement sensible. Elle leur permet de savoir que vous rentrez à la maison bien avant que vous ne vous engagiez dans l'allée, et aussi de sentir quand vous êtes bouleversé, en dépit de vos efforts pour garder une voix normale.

Une méthode de travail très efficace avec les chiens, que vous tentiez d'attirer leur attention ou que vous les aidiez à enregistrer de nouveaux ordres, est de profiter de leur ouïe. Non seulement ils entendent des choses que nous n'entendons pas, mais ils ne les entendent pas comme nous. Vous

Ce Labrador sait toujours à quel moment sa maîtresse rentre à la maison car il peut reconnaître le bruit que fait sa voiture.

pouvez mettre ces différences à profit pour aider les chiens à apprendre plus vite, à se sentir plus en sécurité, et à comprendre ce que vous leur dites.

Pourquoi les chiens entendent-ils si bien

Avant que les chiens ne soient domestiqués, l'ouïe était un sens indispensable à leur survie. Très fine, elle les prévenait du danger, leur permettait de communiquer avec des chiens éloignés d'eux, et de voir la proie la plus petite et la plus prudente. Les changements dans leur cerveau qui se sont produits il y a plusieurs milliers d'années continuent de guider les chiens aujourd'hui. Les spécialistes ont trouvé, par exemple, que si le cerveau humain est essentiellement consacré

à l'apprentissage et à la mémorisation, la plus grande partie du cerveau du chien est consacrée aux sonorités, affirme Katherine A. Houpt, vétérinaire spécialiste du comportement, et professeur de physiologie.

L'une des raisons pour lesquelles les chiens entendent beaucoup mieux que les humains est que leurs oreilles sont plus grandes. Elles sont aussi en forme d'entonnoir, ce qui leur permet de piéger toutes les ondes sonores disponibles et de les canaliser vers le tympan. Autre avantage, leurs oreilles sont aussi mobiles que des antennes. Quinze muscles différents leur permettent de remuer en avant, en arrière et sur les côtés. Les chiens peuvent aussi bouger une seule oreille – talent qui manque à la plupart des gens – grâce à quoi ils détectent et localisent des sons venant de toutes les directions.

LE CHANT DE LA SIRÈNE

Le son aigu d'une sirène incite souvent les chiens les plus calmes à hurler à l'unisson. Les chiens peuvent entendre des sons à très hautes fréquences. Les spécialistes se sont demandés si les sirènes de police ne leur faisaient pas mal aux oreilles, tout comme le crissement d'un ongle sur un tableau peut mettre certaines personnes dans tous leurs états. Mais ce qui va à l'encontre de cette théorie, c'est que les chiens ne semblent ni gênés, ni malheureux quand ils répondent aux sirènes. En fait, c'est tout le contraire : la plupart des chiens paraissent y prendre beaucoup de plaisir. « Rien ne prouve que ces sonorités leur fassent mal aux oreilles », affirme John C. Wright, spécialiste du comportement animal, professeur de psychologie, et auteur de *The Dog Who Would Be King*. D'après lui, l'explication la plus vraisemblable est que les chiens ont évolué depuis l'état de loups. Les loups hurlent pour accueillir leurs compagnons de meute et pour communiquer à distance. Les chiens sont très éloignés des loups, mais ils en ont gardé certains instincts. Il est peu probable qu'ils confondent les sirènes avec le cri de bienvenue lancé à un autre chien, mais ils réagissent de la manière supposée être la leur – ils hurlent en retour.

LE BON TRUC

Les chiens savent-ils épeler ?

Il y a des chiens qui s'excitent tellement en entendant des paroles comme « promenade » ou « cookie » que leurs maîtres sont obligés de mettre au point une sorte de code pour éviter de devenir fous. Plutôt que de dire « promenade », par exemple, ils épellent le mot : « P-r-o-m-e-n-a-d-e ».

Mais en général, les chiens comprennent vite que cela signifie « c'est l'heure de courir dans tous les sens et d'aboyer jusqu'à ce que quelqu'un me mette ma laisse ».

Bien que les chiens ne puissent pas épeler, ils sont tout à fait capables d'apprendre des associations de sonorités complexes et de les relier à leur signification, selon Torry Weiser. « Si vous épelez un mot tel que « promenade » chaque fois que vous vous apprêtez à promener votre chien, il finira par comprendre ce qu'il signifie », explique-t-il.

Avec toute cette anatomie sophistiquée, les chiens peuvent faire des choses stupéfiantes, comme par exemple entendre un chat qui vient flairer leur nourriture alors qu'ils dorment dans une chambre éloignée. Ils savent, avec leur seule ouïe, si un aliment qui a glissé de la planche à découper présente aussi peu d'intérêt qu'un morceau de pain ou s'il s'agit d'un savoureux morceau de viande. Même en courant dans le jardin, ils vous entendent arriver à l'instant précis où vous introduisez la clé dans la serrure.

L'ouïe hyper-développée des chiens leur procure un univers très intéressant et très différent de celui des humains.

« Il est difficile d'imaginer à quoi ressemble l'univers d'un chien, » dit le docteur Caroline Coile, neurologue, qui s'intéresse particulièrement au système sensoriel canin. « Ce dont nous sommes persuadés, c'est qu'ils ont certainement une vie auditive bien plus riche que la nôtre ».

Malgré leur excellente ouïe, les chiens ne sont pas plus envahis par la variété et le volume des sons qui leur parviennent que nous ne le sommes par tout ce que nous voyons. Leur cerveau rejette tout ce qui ne les intéresse pas, tout ce qu'ils n'ont pas besoin de savoir. C'est pourquoi ils peuvent dormir au milieu des conversations et se réveiller dès qu'ils entendent prononcer leur nom. De la même façon, certains chiens se cachent en entendant l'eau dans la salle de bains parce qu'ils croient que c'est l'heure de leur bain, alors que c'est la machine à laver qui se remplit, mais ils ne bronchent pas si l'eau coule dans l'évier pour la vaisselle. Ils ne réagissent qu'aux choses qui peuvent les toucher, dit le docteur Houpt.

Les chiens entendent certains bruits que leurs maîtres aimeraient bien capter, eux aussi : quelqu'un qui se glisse par-dessus la clôture du jardin, par exemple. C'est là que l'ouïe exceptionnelle du chien va être d'un grand secours dans la maison. Mais, comme les alarmes de voitures, les chiens peuvent avoir une ouïe un peu trop sensible. Ils vont soudain se mettre à hurler pour avoir entendu un bruit que les

Ce Labrador peut entendre des sons émis par des petits animaux sous la neige, aussi a-t-il la réaction naturelle de creuser pour faire ses investigations.

membres de la famille ne peuvent pas percevoir et dont ils ne se soucient absolument pas.

La capacité d'entendre des hautes fréquences a des effets aussi surprenants que bénéfiques pour la majorité des chiens. Ainsi, le cri d'une chauve-souris est beaucoup trop élevé pour l'oreille de la plupart des animaux, y compris le bétail. Cela peut expliquer pourquoi, en Amérique du sud, le bétail est souvent attaqué par des chauves-souris vampires, ce qui arrive rarement aux chiens. Apparemment, ils captent les cris des chauves-souris et évitent ainsi de se transformer en repas, déclare Bruce Fogle.

Tous les chiens, quelles que soient leur taille et leur race, semblent avoir sensiblement les mêmes capacités auditives, affirme Rickye Heffner professeur de psychologie. Les petits chiens n'entendent pas mieux les hautes fréquences que les gros, et les gros chiens ne sont pas plus aptes à capter les basses fréquences que les petits.

Gretchen veillait

Personne ne connaît mieux que Jessica Maurer, de Portland, dans le Maine, les bienfaits de l'ouïe des chiens. Si elle n'avait pas eu Gretchen, sa chienne Samoyède de onze ans, Jessica ne serait plus là pour raconter l'histoire.

Avec sa colocataire et deux voisines, Jessica venait de s'installer à table, dans son jardin. Elles allaient commencer leur repas quand Gretchen se leva brusquement et se mit à gronder. Jessica vit que sa chienne fixait le sycomore haut de deux mètres cinquante environ, qui se trouvait près de la table.

C'est alors qu'elles entendirent un craquement sourd. Réalisant que l'arbre était sur le point de tomber, elles se glissèrent hors de sa portée, mais la colocataire de Jessica, moins rapide, fut blessée aux jambes. Les autres s'écartèrent à temps, grâce à la vivacité de la chienne et à sa remarquable ouïe.

HISTOIRE DE CHIEN

La taille des oreilles du chien n'influe pas sur son ouïe. Les chiens aux oreilles tombantes, comme l'Épagneul cavalier King Charles (à droite) entendent tout aussi bien que ceux qui ont les oreilles droites, tel le Berger belge (à gauche).

La forme de l'oreille n'a pas non plus beaucoup de conséquences sur l'ouïe. Les tests pratiqués sur des chiens aux oreilles tombantes et sur d'autres dont les oreilles sont bien droites ont eu les mêmes résultats, à peu de choses près, dit le Dr Heffner. Curieusement, les chiens aux longues oreilles entendent presque aussi bien quand elles sont dans leur position naturelle que lorsqu'elles sont relevées dans le but de dégager le canal auditif

Cependant, la surdité chez le chien est liée à la race, quand il naît ainsi. Elle est provoquée par un désordre génétique associé aux couleurs blanc et noir bleuté de la robe. Cela peut survenir chez n'importe lesquels, mais surtout chez les dalmatiens, dit le Dr Heffner. Parmi les autres races couramment affectées se trouvent le chien de ferme australien, le berger australien, le terrier de Boston, le Setter anglais et le Bobtail.

Mais les chiens frappés de ce handicap apprennent à le compenser. « Les chiens passent 80 à 90 % de leur temps à communiquer par d'autres moyens que par les sons, » dit Suzanne Clothier, dresseur. Ils prêtent une grande attention au langage corporel, aux expressions du visage, aux regards, qui les aident à se comprendre entre eux et à comprendre les humains. Les chiens sourds apprennent très facilement à « lire » les gens.

Une approche sérieuse

Les chiens étant habitués aux sons aigus, qui les excitent – probablement parce qu'ils leur rappellent les cris de leurs proies traditionnelles – le meilleur moyen de capter leur attention est de parler avec une voix perchée, affirme Suzanne Clothier. Pendant l'entraînement du chien, et pour l'appeler, la voix aiguë est très appropriée, explique-t-elle. C'est aussi un moyen efficace de faire savoir à votre chien que vous êtes content de lui.

Les chiens répondent aussi à des sonorités de voix plus graves, sans doute parce qu'elles évoquent pour eux les grognements et grondements qu'ils ont entendus dès leur naissance : ceux de leur mère, quand elle les réprimandait, puis ceux de chiens qui leur transmettaient le message « Laisse-moi tranquille », ou « ne touche pas à ça, c'est à moi ».

Contrairement aux voix aigües, qui ont tendance à exciter les chiens et à les rendre heureux mais qui sont moins susceptibles de les faire obéir, les voix graves les rendent un peu nerveux car ils les associent avec celles des « top chiens ». Si vous voulez faire obéir votre chien, vous pouvez lui parler d'une voix grave évoquant un grognement. Il comprendra que c'est sérieux et vous aurez plus de chances qu'il vous obéisse.

Vous obtiendrez aussi des résultats en jouant avec le volume de votre voix. En criant, vous attirez l'attention de votre chien, mais vous risquez aussi de lui faire peur ou de l'intimider. Un volume plus faible est souvent plus efficace que des cris. Ainsi, dès que votre chien vous écoute, vous pouvez chuchoter. Comme nous, les chiens sont intrigués par les chuchotements et ils vont, eux aussi, tendre l'oreille pour mieux entendre ce que vous leur dites.

LE BON TRUC

Les chiens aiment-ils la musique ?

Les chiens semblent souvent ravis quand leurs maîtres tournent le bouton de la stéréo. Ils s'allongent tranquillement à leurs pieds pendant que la musique classique ou relaxante remplit la pièce, ou bien ils dressent l'oreille aux sons d'une musique populaire plus stridente. D'après les spécialistes, c'est moins le genre musical qui les intéresse que nos réactions.

« Nos chiens sont experts pour lire le langage corporel », dit Steve Aiken. « Quand la musique nous plaît, notre corps réagit. Nous nous balançons, nous dansons, nous fredonnons. D'une manière générale, la musique qui nous rend de bonne humeur influe sur notre langage corporel, et les chiens aiment ça. Notre corps fait passer un message de bonheur, et notre chien est heureux ».

Les chiens peuvent développer des préférences musicales, affirme Steve Aiken – mais il y a une très forte probabilité pour que leurs goûts se greffent sur ceux de leurs maîtres.

En écoutant de la musique qui vous plaît, votre chien peut apprendre à faire une association positive avec son genre.

« Ce ne sont pas des fans de Pavarotti, dit Aiken. Mais ils sentent que nous aimons l'écouter, et cela les rend heureux eux aussi ».

DEUXIÈME PARTIE

L'ABOIEMENT

Les chiens comptent essentiellement sur leur odorat et leur langage corporel pour communiquer, mais ils se servent aussi de leur voix – entre eux, et avec nous. La façon dont ils aboient peut nous apprendre beaucoup de choses sur ce qu'ils pensent. Et l'aboiement étant leur langue natale, vous pouvez communiquer plus clairement avec eux en aboyant vous aussi, de temps en temps, pour leur répondre.

CHAPITRE SEPT

L'ABOIEMENT, UN LANGAGE

Les chiens aboient différemment selon les messages qu'ils veulent faire passer, et selon les destinataires de ces messages : leurs congénères, ou leur maître. Certains aboiements signifient que le chien est excité et content, ou au contraire, nerveux ou inquiet.

Il y a quelques milliers d'années, l'aboiement avait beaucoup plus de sens qu'aujourd'hui. Même s'ils vivaient en meutes, les chiens passaient souvent la journée seuls à chasser ou à chercher une compagne. À la fois coup de téléphone et message laissé sur le tableau d'informations municipal, l'aboiement leur permettait de communiquer à grandes distances, soit avec un seul chien, soit avec la horde entière. Et, contrairement aux odeurs et au langage corporel, qui sont les deux moyens de communication favoris des chiens, l'aboiement ne laissait pas de traces physiques qu'auraient pu suivre d'éventuels prédateurs. Ainsi, bien que l'aboiement fût rarement utilisé par les chiens sauvages – et leurs ancêtres, les loups – ce pouvait être un moyen très pratique dans certaines occasions.

Du point de vue de l'évolution, l'aboiement n'est plus vraiment utile désormais. La plupart des chiens vivent en appartements ou dans des maisons et n'ont pas besoin de communiquer à grandes distances ; comme ils partagent leur vie avec des gens et non plus avec d'autres chiens, ce n'est pas non plus le moyen le plus pratique. C'est un peu comme si on allait à Rome en ne connaissant que l'anglais : les gens vous entendent parler mais n'ont pas la moindre idée de ce que vous leur dites.

Pourtant, aussi curieux que cela puisse paraître, les chiens modernes aboient beaucoup plus fréquemment que leurs ancêtres. Non pas parce que c'est le meilleur moyen de communiquer, mais par

Quand ils vivaient à l'état sauvage, les chiens aboyaient pour communiquer à grandes distances. Ces Epagneuls de Münster ont gardé cette tradition.

manque de maturité. Tout comme les très jeunes enfants lorsqu'ils crient, les chiens aboient souvent pour le plaisir d'entendre leur propre voix.

Adolescence perpétuelle

Comme tous les parents peuvent l'attester, l'adolescence est une période tumultueuse. Ceci est vrai également pour les chiens, qui sont parfois de vrais

ABOIEMENTS ET VARIATIONS

Le Basenji, ou Terrier du Congo (à gauche), est un chien élégant, de taille moyenne, avec une queue bouclée, très particulière. Il semblerait que ce soit la forme inhabituelle de son larynx, ou boîte vocale, qui l'empêche d'aboyer. « Mais il fait tous les autres bruits possibles sous le soleil », affirme Mary Merchant. Le plus courant est à mi-chemin entre le gloussement et la tyrolienne.

En dépit de ces variations plutôt étranges, les Terriers du Congo sont plus souvent silencieux que la plupart des chiens, probablement parce qu'ils chassaient autrefois en hordes. Il était préférable alors de passer inaperçu pour trouver son repas quotidien.

Le chien chantant de Nouvelle-Guinée (à droite) émet lui aussi une vocalise inhabituelle. C'est le chien sauvage le plus difficile à capturer du monde. Blanc et roux, et de petite taille, il fut découvert au cœur des montagnes intérieures de Papouasie (Nouvelle-Guinée). Son curieux aboiement, qui ressemble au chant du coq, traverse des distances impressionnantes et permet de garder le contact avec les meutes isolées, explique Mark Feinstein. Même s'ils n'ont jamais de contacts physiques, les chiens chantants communiquent entre eux d'une vallée à l'autre.

Ces chiens ont une nature solitaire. Ils sont surnommés chiens de nuit ou chiens noirs, non pas à cause de leur couleur mais parce qu'il est rare de les voir. En effet, la plupart du temps, on les entend seulement. Il existe une petite colonie de chiens chantants à Amherst College. La meilleure façon de les faire « chanter », d'après le docteur Feinstein, est de ne pas être dans leur champ de vision. Ils se mettent aussitôt à faire des vocalises. « Ils essaient de créer le contact », explique-t-il.

« moulins à paroles » en grandissant, selon Mark Feinstein. Dans la nature, l'adolescence des chiens était très brève, car ils devaient se prendre rapidement en charge. Mais maintenant, ils restent dépendants de leur maître, aussi n'ont-ils jamais un comportement vraiment adulte. D'après le docteur Feinstein, ils continuent d'aboyer parce que leur éducation les a enracinés dans l'adolescence.

Un aboiement sauve une vie

Un chien qui n'arrête jamais d'aboyer peut être une vraie nuisance. Mais Nan Duff, infirmière, doit la vie aux jappements déterminés de son chien.

Tôt, un matin d'été, Duncan, le Labrador couleur chocolat de Nan, se mit à aboyer à pleins poumons. Si fort et si longtemps que la voisine de Nan, Lisa Grillo, se demanda ce qui se passait. « C'était très différent de la façon dont il aboyait d'habitude », se souvient-elle. « Sa voix était haut perchée, c'était plutôt des jappements. »

Inquiète, Lisa téléphona à Nan. Comme Nan ne répondait pas, elle appela la police. Puis elle sortit et vit Duncan hurler derrière la fenêtre de la chambre de Nan, de l'autre côté de la rue.

Les policiers cassèrent une fenêtre pour pénétrer dans la maison. Ils furent accueillis par Duncan, qui fila en haut de l'escalier, vers la chambre de Nan. Les policiers la trouvèrent étendue sur son lit, inconsciente. Elle fut transportée à l'hôpital, où les médecins constatèrent que son taux de sucre dans le sang était beaucoup trop bas. Nan venait de tomber dans un coma diabétique.

Une fois guérie, elle fut ébahie en apprenant comment Duncan avait appelé au secours : avec le seul moyen dont il disposait. Pour avoir sauvé la vie de sa maîtresse, Duncan reçut le Prix de l'Association Médicale et Vétérinaire de Pennsylvanie, octroyée aux animaux dont les actions héroïques sont les meilleurs témoins des liens profonds qui unissent les êtres humains à leur animal familier.

l'aboiement pouvait leur être utile. Il les alertait sur la présence du gibier et sur l'approche d'un étranger, lequel comprenait, en retour, qu'il aurait affaire à un chien. En fait, l'aboiement était tellement utile que les gens choisissaient délibérément les chiens qui aboyaient le plus, et les gènes « vocaux » se sont transmis de génération en génération. Bien sûr, pour la plupart des gens, les aboiements représentent surtout une nuisance – mais les chiens continuent, en partie parce que nous les encourageons souvent sans nous en rendre compte. Par exemple, une personne qui, en promenant son chien, veut lui faire un reproche, va lui tapoter la tête, geste que le chien interprète généralement comme un encouragement. La même chose se produit quand une personne réveillée par des aboiements se met à hurler à la fenêtre pour ordonner au chien de se taire. Les chiens qui aboient attendent une réponse, n'importe laquelle, et si un humain lui répond, c'est parfait.

« Ce sont les petits chiens qui aboient le plus », ajoute Deborah Jones, dresseur. Ils ne s'arrêtent jamais complètement, mais avec le temps et l'expérience, ils ont tendance à moins donner de la voix. « Quand ils sont plus aptes à déchiffrer le langage corporel, plus subtil, et à s'en servir pour envoyer des informations, ils se calment », affirme-t-elle.

Ce n'est pas un hasard si les chiens se sont mis à aboyer plus souvent quand ils ont commencé à être domestiqués. Leurs nouveaux maîtres réalisèrent que

L'interprétation des aboiements

Les chiens aboient pour toutes sortes de raisons. Quand ce n'est pas pour accueillir leurs congénères, c'est pour attirer l'attention ou montrer leur plaisir et leur joie. L'aboiement est une sorte de soupape de sécurité, qui les libère du stress autant que de l'ennui. Ils ont plusieurs façons d'aboyer, chacune transmettant un message complètement différent. En écoutant le rythme, la hauteur, et même la tonalité globale de l'aboiement, il est possible de comprendre ce que le chien tente de transmettre.

Forts et réguliers

Les chiens répondent souvent aux étrangers qui s'approchent d'eux, ou à un bruit extérieur, par une série d'aboiements simples, parfois par des woo-woo-woo-woo-woo rapides. Ce genre-là est un avertissement. Sa fonction n'est pas de dire à l'intrus de s'en aller, mais de faire savoir aux maîtres des lieux qu'il y a quelque chose qui cloche. « Il ne veut pas affronter tout seul cette menace potentielle, alors il appelle du renfort », explique le docteur Jones.

« On ne peut pas deviner, d'après ce genre d'aboiement, si l'intrus est un être humain ou un autre chien. Mais le langage corporel de votre chien vous procurera quelques indices supplémentaires », dit-elle. S'il s'agit d'un chien étranger, par exemple, le vôtre va certainement s'élancer vers lui,

Quand, de l'intérieur d'une voiture, un chien aboie après des étrangers, son aboiement est fort et régulier car il avertit son maître d'un danger possible.

Bien que les chiens n'aient plus besoin de chasser pour se nourrir, ils ont gardé un instinct très fort qui les pousse à chasser les petits animaux – ou du moins à leur aboyer après.

puis il va reculer. « Mais si l'autre chien est un vieux copain, il va faire des révérences ludiques en agitant la queue, et en dressant les oreilles en signe de joie. »

Les chiens ont le même comportement avec des gens de leur connaissance qui viennent en visite. Même si l'aboiement est aigu et régulier, il paraît transmettre un message heureux, impression qui sera renforcée par un halètement joyeux et la queue qui remue.

Rapides et furieux

Pour les chiens, qui n'ont pas la meilleure vue du monde, un lapin qui détale doit ressembler, vu de loin, à une personne filant sur des patins à roulettes. Donc, chaque fois qu'ils voient quelque chose bouger rapidement, ils réagissent avec un aboiement haut perché qui proclame : « J'aimerais bien le prendre en chasse celui-là ! Je vais au moins lui aboyer après. » Ce type d'aboiement est généralement accompagné d'un langage corporel

Le Cocker détient le record du monde d'aboiements persistants – il peut arriver au chiffre ahurissant de 907 aboiements toutes les dix minutes.

PARTICULARITÉ DE LA RACE

Les chiens aboient pratiquement tous par-ci par-là, mais certaines races ont une tendance plus marquée que d'autres à le faire. C'est parce qu'on leur a appris à utiliser leur voix dans un but précis.

« Les chiens de chasse – Beagles, Fox terriers, Limiers et Bassets – se servent beaucoup de leur voix parce qu'ils ont été élevés pour répondre à leurs maîtres quand ils sont à la chasse. Dans cette circonstance, l'aboiement du Beagle et le cri lugubre du Limier sont particulièrement pénétrants et persistants. »

• Les chiens de berger comme les Kelpies – chiens métis australiens – et les Shetlands ont appris à utiliser leur voix pour contrôler les troupeaux.

• Les Terriers, comme les Schnauzers et les Jack Russell miniatures ont appris à aboyer pour avertir leurs maîtres de la présence de rongeurs.

• Les chiens de poche tels les Loulous de Poméranie, les Épagneuls pékinois ou les Caniches nains étant destinés à être des chiens de compagnie, leur propension à aboyer est assez déconcertante. Ce sont cependant des petites bêtes assez bagarreuses qui prouvent leur détermination en donnant souvent de la voix.

plein de confiance, la queue en l'air ou les oreilles bien droites.

Certains chiens aboient de cette façon à la vue de ce qu'ils ne reconnaissent pas – qu'il s'agisse de n'importe quoi, de quelqu'un arrivant avec un imperméable sur le dos ou un aspirateur à la main, ou de leur propre image dans le miroir. « C'est le même processus : le chien fait un brusque mouvement en avant, puis il recule, comme lorsqu'il aboie après un chien inconnu », dit le docteur Jones.

Aigus

Les chiens qui veulent quelque chose le demandent souvent par un jappement qui déchire le tympan. En principe, ils aboient une fois, attendent un peu pour voir notre réaction, puis ils recommencent si rien ne se produit. Ou alors, ils lancent une série d'aboiements aigus pour solliciter notre attention. Dans les deux cas, les chiens agitent la queue ou font des signes enjoués, déclare Terry Ryan, dresseur et auteur d'un ouvrage sur la correction des mauvaises habitudes prises par les chiens.

Aigus et pressants

Comme les gens qui font les cent pas, certains chiens, pour se détendre, ont recours aux aboiements rapides, aigus, et paraissant désespérés. « L'aboiement libère vraiment la tension », dit le docteur Jones. « Pour eux, c'est comme une thérapie par le cri primal. »

D'après le docteur Jones, certains types de chiens sont plus enclins à aboyer quand ils se sentent seuls, notamment des chiens très sociables comme les Beagles, les chiens de berger comme les Colleys, et des races créées uniquement pour tenir compagnie, comme la plupart des chiens de poche.

CHAPITRE HUIT

RÉPONDRE EN ABOYANT

Les gens ne savent pas très bien parler comme les chiens, mais parfois un grondement
ou un jappement est plus efficace que le langage humain.
Et un hurlement occasionnel prouve à votre chien que vous l'appréciez.

Quels que soient les efforts qu'ils fournissent, les chiens ne seront jamais très compétents en français. La plupart des mots qu'ils nous entendent prononcer leur parviennent comme un simple bruit, ce qui explique pourquoi certaines personnes bousculent de temps en temps les habitudes en communiquant par des aboiements, des hurlements, ou des gémissements.

Il y a peu de chances que quelqu'un publie jamais un Guide Berlitz de la conversation canine, ne serait-ce que parce que le langage canin est bien plus difficile à maîtriser que n'importe quelle langue étrangère. D'une part, les chiens communiquent peu avec la voix. Ils préfèrent le langage non verbal, tel que la posture, les mouvements et les odeurs. Ne disposant pas d'un vocabulaire bien défini comme celui des humains, ils n'ont pas d'aboiement dont la signification équivaut à « sors d'ici » ou « prends ta laisse ». En outre, les cordes vocales humaines ne peuvent pas reproduire le « discours » canin avec précision. Même si vous grondez pour faire descendre votre chien du canapé, ou si vous aboyez pour attirer son attention, le message ne passera pas.

« Les chiens nous riraient au nez si nous nous mettions à aboyer », ajoute Liz Palika, dresseur. « Leur ouïe est tellement supérieure à la nôtre qu'il nous est impossible de reproduire fidèlement leurs différentes tonalités d'aboiements. »

Cela ne signifie pas que les chiens ne réagissent pas quand vous les imitez. Ils peuvent vous répondre en aboyant à leur tour, ou du moins paraître intéressés pendant quelques instants – non pas parce que vous leur envoyez par hasard un message déchiffrable, mais parce qu'ils répondent à votre langage corporel, au ton de votre voix, à votre enthousiasme, affirme Joanne Howl. « Je connais certaines personnes qui aboient, mais ce n'est pas très convaincant, ajoute-t-elle. Notre accent canin est si mauvais que nous gâchons leur langage. »

Tout est dans le ton

Pourtant, même s'il n'est pas possible que le fait d'aboyer, de japper, de

Ce Golden retriever répond au ton de la voix de sa maîtresse et à son langage corporel. Certaines personnes tentent d'aboyer, ce qui attire l'attention de leur chien, mais ne signifie pas grand-chose pour eux.

hurler, de gémir ou de gronder remplace un jour le dressage ou d'autres formes de communications non-verbales, il existe des situations dans lesquelles « parler chien », aussi pauvrement que ce soit, est le seul moyen de délivrer des messages. L'idée n'est pas d'apprendre des aboiements spécifiques, mais de reproduire certains tons et inflexions de voix auxquels les chiens répondent, déclare le docteur John C. Wright.

Grondements. Les chiens en colère répondent parfois par un long grondement sourd. Ce sont surtout les chiens des rangs supérieurs qui grondent, les autres, plus soumis, sont moins péremptoires. Il en résulte que les chiens sont conditionnés à assimiler les grondements à la fonction de leader.

Les gens peuvent profiter de cela quand ils veulent transmettre un ordre. Quand les chiens font quelque chose qu'ils ne devraient pas faire, un long grondement frémissant leur fera remarquer que le « top

Les chiens hurlent pour communiquer à longues distances, mais ce chien croisé de Labrador et sa maîtresse s'offrent une séance de hurlement pour s'amuser.

chien » – vous, en l'occurrence – n'est pas content. Vous n'êtes pas obligé de gronder pour obtenir des résultats, ajoute le docteur Wright. Si vous baissez la voix en disant « héééé » sur un ton très lent, vous enverrez le même message. « Ils sont préparés à prendre une tonalité basse pour un grondement », explique-t-il.

Évitez de gronder trop souvent. Les chiens qui ont tendance à être agressifs ou qui veulent dominer risquent de percevoir vos grondements comme une menace directe, et répondre de la même façon, ou pire. C'est également un message trop sévère pour des problèmes mineurs tels que le désagrément de trouver le canapé déjà occupé.

Le grondement est approprié quand vous avez affaire à des chiots, dit Liz Palika. Sachant qu'ils doivent obéir à leur mère ou à d'autres adultes, ils en comprennent immédiatement la signification.

Hurlements. À l'époque où les chiens vivaient de leur côté, hurler équivalait à envoyer des signes de fumée « Où êtes-vous ? » – « Nous sommes là ! ». Les spécialistes se demandent si les hurlements signifient vraiment quelque chose ou s'ils servent simplement à communiquer à grandes distances. Et il n'y a aucun moyen de savoir si le fait de hurler comme lui présente pour votre chien un intérêt quelconque, à part attirer son attention. Mais les chiens peuvent apprécier un hurlement de leur maître, ne serait-ce que parce qu'ils considèrent que c'est un bel effort de sociabilité, ajoute le docteur Wright.

Jappements. Quand ils se battent pour s'amuser, les chiots apprennent vite à mordiller sans faire mal à partir du moment où l'un d'eux réagit en jappant. Le jappement est un moyen très efficace pour faire comprendre à un chiot qu'il mord trop fort ou trop souvent. Cela signifie : « Arrête, tu me fais mal, tu es une vraie brute », explique le docteur Wright.

CHAPITRE NEUF

DES MOTS QUE TOUS LES CHIENS DOIVENT COMPRENDRE

Les chiens ne seront jamais des linguistes mais ils peuvent apprendre plus que nous ne croyons.

Exceptés leur nom, quelques ordres de base et des mots excitants comme « promenade » ou « biscuit », la plupart des chiens ne comprennent pas le langage humain. Ce n'est pas qu'ils ne soient pas capables d'apprendre davantage de vocabulaire, c'est surtout que les gens, généralement, n'éprouvent pas le besoin de le leur enseigner. Mais il est aussi avantageux pour vous que pour votre chien de lui apprendre une série d'ordres parlés : cela le rendra plus facile à vivre, et il prendra vraiment plaisir à faire des choses qui vous plairont.

« Les aptitudes de votre chien pour apprendre du vocabulaire sont illimitées », affirme Liz Palika. Son berger australien, Ursa, a appris plus de 150 mots au cours de ses 13 années d'existence. Quand elle tirait une charrette, Ursa allait jusqu'à comprendre les indications qu'on lui donnait : « tire doucement », « tire plus fort », « tire vite », « va à gauche », « tourne à droite », « fait un aller-retour en U ».

« Je me trouvais souvent derrière elle, ou bien j'avais les mains pleines, elle ne pouvait donc pas voir mes gestes, précise Liz Palika. Elle ne pouvait compter que sur ma voix et les mots que j'employais ».

Ursa était plus qu'une bonne chienne de charrette. Elle comprenait aussi des ordres tels que « va chercher les clefs de la voiture », « porte ce tournevis à Paul », « passe-moi la télécommande. »

Avec de la patience, il est possible d'apprendre presque n'importe quel mot à un chien. Ce Labrador a appris ce que signifie « ballon ».

Vocabulaire de base

Naturellement, la majorité des chiens ne deviendront jamais des champions de scrabble, et même si l'idée de

leur apprendre beaucoup de vocabulaire est très intéressante, il vaut mieux ne pas commencer par une
longue liste mais se contenter déjà de sept ou huit mots.
C'est à vous de décider lesquels vous voulez leur
apprendre, mais il est conseillé d'inclure les cinq mots de
base : « assis », « sage », « viens », « au pied » et « couché ».

Les chiens qui connaissent les ordres de base sont
bien plus agréables à vivre, affirme Liz Palika.
Comme ils comprennent exactement ce que vous
leur dites, ils se sentent en sécurité et il est moins probable qu'ils vont vous aplatir par terre au moment où
vous rentrez chez vous, ou qu'ils vont vous ignorer
parce qu'ils sont en train de chasser un écureuil.

Les mots ne sont pas vraiment importants en soi,
ajoute-t-elle, pourvu que votre chien reçoive le même
message. L'un de ses étudiants possédait un restaurant
italien et utilisait tout un éventail de noms de pâtes
pour donner des ordres à son chien : « lasagne » pour
« au pied », « farfalle » pour « sage », etc. C'était un bon
truc tant qu'il n'oubliait pas à quel ordre correspondait
chaque plat de pâte, commente Liz Palika. « S'il voyait
son chien se faufiler par le portail, il devait penser à
crier « spaghetti », s'il voulait le voir faire demi-tour. »

Au-delà des mots de base

Les chiens sont aussi attentifs qu'heureux de plaire.
Ils sont capables d'apprendre des mots nouveaux
très rapidement, aussi beaucoup de gens leur en
enseignent-ils. C'est très satisfaisant de voir un chien
s'asseoir ou se coucher sur commande, mais c'est
tellement plus drôle quand il comprend des expressions telles que « fais signe au revoir ».

Ce n'est pas difficile, si l'on est patient et si l'on
prend le temps de relier clairement les mots à des
actions, explique Liz Palika. Voici quelques indications pour un enseignement efficace :

***Donnez-lui une leçon quand il est calme,
après une bonne promenade.*** C'est le moment
idéal, mais il ne doit pas être somnolent.

Offrez-lui des récompenses. Avant de commencer la leçon, prenez quelque chose que votre
chien aime, un biscuit, une balle de tennis, n'importe
quoi qui soit susceptible d'éveiller son intérêt.
Utilisez cette récompense pour le rendre attentif au
moment où vous le désirez. Supposons que vous lui
appreniez à aller chercher la télécommande. Posez-la
sur le sol, en face de lui, puis utilisez ce que vous avez
dans la main pour guider son museau vers elle en lui
disant : « va chercher la télécommande ». Quand il se
met à renifler l'objet ou qu'il lui donne un coup de
museau, félicitez-le et donnez-lui sa récompense.
Puis répétez la même chose cinq ou six fois.

Donnez-lui des leçons amusantes. Les
chiens apprennent mieux en s'amusant. Il est donc
préférable de donner des leçons qui ressemblent à

*Avec un vocabulaire plus étendu que les simples
mots de base, les chiens peuvent apprendre
des activités plus élaborées et plus amusantes.*

COURS SUPPLÉMENTAIRES

Certains chiens ont autant de facilité à assimiler des mots nouveaux qu'à ramasser des os. Si votre chien est très doué, pourquoi ne pas tenter de lui enseigner du vocabulaire plus difficile.

• **Gratte-moi le dos.** Rien ne soulage aussi efficacement une démangeaison au milieu du dos qu'un bon coup de patte amical. Encouragez votre chien à vous frotter le dos avec sa patte tout en lui disant « gratte ». Quand il le fait, récompensez-le d'une gourmandise et faites-lui comprendre votre admiration.

• **Sors la poubelle.** De nombreux chiens veulent du travail, et nous sommes rares à aimer faire celui-ci. Achetez des sacs poubelles en plastiques munis d'une poignée. Utilisez de la nourriture pour encourager votre chien à saisir la poignée, puis félicitez-le le plus possible. Quand il a compris comment attraper la poignée, escortez-le jusqu'au container en redoublant d'enthousiasme.

• **Trouve la rubrique sportive.** La rubrique sportive paraît chaque jour à la même page dans la plupart des journaux. Étalez les rubriques dans l'ordre habituel, puis montrez à votre chien la rubrique sportive. Il ignorera vite les autres pages d'informations et trouvera directement les scores qui vous intéressent.

• **Cherche Arte.** Détendez-vous la main 5 minutes et laissez votre chien surfer sur les chaînes de télévision. Apprenez-lui à utiliser les boutons de la télécommande avec une patte, en le stimulant avec de la nourriture. S'il est assez chanceux pour trouver la bonne chaîne, félicitez-le.

• **Dis-leur que ça ne m'intéresse pas.** Il est très pratique d'avoir un chien qui aboie sur commande pour arrêter les appels des télévendeurs. Voir en page 39 les conseils pour apprendre à votre chien à aboyer.

• **Réveille-moi à 6 heures** Pourquoi utiliser un réveille-matin carillonnant quand un bon coup de langue accompagné de coups de queue frénétiques assure le même résultat ? Les chiens adorent la routine, ils ont une horloge dans le cerveau qui leur ordonne de se réveiller. Si vous donnez une récompense à votre chien quand il s'approche du lit et vous lèche le visage, vous pouvez être pratiquement sûr qu'il recommencera.

des jeux plutôt qu'à du travail. Tant que votre chien comprendra que vous êtes content qu'il fasse quelque chose, il aura envie de continuer. Une fois qu'il connaîtra les mots, le ton sur lequel vous les direz n'aura plus autant d'importance, affirme le docteur Wright.

Félicitez-le quand il réussit, mais ne réagissez pas s'il rate son coup. Les chiens apprennent plus facilement s'ils sont félicités après avoir réussi à faire quelque chose correctement.

Mais ils n'écoutent plus si on les punit pour avoir tout fait de travers, affirme le docteur Wright.

Ayez de la constance. Certains chiens apprennent des ordres compliqués en quelques heures, d'autres en plusieurs semaines. Mais ils ont tous besoin qu'on leur répète les choses. Si vous mettez vos leçons en pratique plusieurs fois par jour, ils feront petit à petit le lien entre les mots et l'acte, puis entre l'acte et la récompense. « Si un chien est récompensé chaque fois qu'il fait quelque chose de bien, il recommencera ».

TROISIÈME PARTIE

DÉCHIFFRER
LE LANGAGE CORPOREL

Les chiens dépendent du langage corporel à un point inimaginable. La façon dont ils se tiennent, l'inclinaison de leur tête, le degré d'intensité de leur regard, la position de leurs oreilles, les mouvements de leur queue, sont lourds de significations. Quand vous observerez leur langage corporel, vous saurez ce que les chiens veulent vous transmettre ou de ce qu'ils éprouvent.

CHAPITRE DIX

CE QUE SON CORPS VOUS RACONTE

Avec leur tête expressive et leur queue qui ne l'est pas moins,
les chiens utilisent le langage corporel pour envoyer des messages
aux autres chiens et aux humains.

Les gens croient souvent que les chiens ne s'expriment pas beaucoup s'ils ne remuent pas la queue. En fait, ils communiquent avec tout leur corps. Cela vaut la peine de prendre un peu le temps d'observer votre chien, et de voir la façon dont il se déplace et dont il réagit dans différentes situations. Une fois familiarisé avec les signes qu'il fait – quand il s'accroupit, qu'il couche les oreilles ou qu'il penche la tête pour être attentif, par exemple – vous le comprendrez beaucoup mieux, ce qui vous facilitera la vie.

Les chiens se servent du langage corporel pour transmettre quantité d'émotions, de désirs, de besoins, et pour faire connaître leur place au sein de leur communauté. La communauté d'un chien, c'est sa meute. Dans la nature, une meute est composée de plusieurs chiens, mais pour un chien familier, c'est son maître et tous les autres chiens de la maison qui la composent.

Bien que les signes d'une partie précise du corps aient souvent une signification unique – la queue frétillante est généralement un signe de bonheur – il est nécessaire de voir ce qui se passe d'autre en même temps, pour comprendre le message dans sa totalité. Par exemple, quand un chien s'incline en avant en remuant la queue, sa queue exprime alors clairement sa joie. Mais s'il est étendu sur le dos, les yeux et la tête détournés et les pattes avant repliées sur son poitrail, la queue qui remue n'est absolument pas un signe de bonheur. Au contraire, le chien montre sa soumission, il est sans doute craintif, et il demande un peu de gentillesse et de considération.

Les chiens comme ce Golden retriever utilisent tout leur corps, depuis leur langue jusqu'au bout de leur queue, pour exprimer leurs sentiments.

DÉCHIFFRER LES SIGNES

Quand quelqu'un se perd dans l'immensité sauvage de l'Alaska ou se retrouve pris dans une avalanche, les chiens de sauvetage de l'Alaska sont mis à contribution. Ce n'est pas uniquement grâce à leurs sens plus développés qu'ils peuvent sauver des vies humaines. Leurs maîtres-chiens doivent être capables de savoir ce qu'ils pensent et ressentent, ils doivent pratiquement être en symbiose avec eux. C'est l'un des moments où l'homme et le chien s'observent mutuellement et lisent leur langage corporel réciproque.

« Tous les chiens sont dressés pour nous donner l'alerte en aboyant ou en creusant quand ils trouvent quelque chose », dit Corey Aist, qui travaille avec Bean, son Labrador. Quand les équipes passent plusieurs heures dehors, les conditions sont dures, les chiens sont fatigués, et les maîtres-chiens doivent guetter les indices les plus subtils ; mais quand les chiens et les hommes travaillent si étroitement ensemble, des signes apparemment insignifiants peuvent avoir une importance inversement proportionnelle à leur apparence : la position de la queue d'un chien, ou le changement fugitif de la courbure de son museau, par exemple, peut suffire à indiquer au sauveteur que son chien a trouvé là quelque chose qui mérite une investigation approfondie.

L'autre élément important dans leur relation est la confiance. « Vous devez faire entièrement confiance à votre chien, dit Paul Stoklos, qui travaille avec Arrow, son Berger allemand. Il sait ce que vous lui demandez de faire. Même si vous avez la certitude qu'il n'est pas dans la bonne direction, suivez-le ». C'est ainsi qu'un jour, Arrow et Stoklos ont retrouvé en Alaska un homme qui s'était perdu. Les heures passées à chercher avec des chiens et des véhicules s'étaient avérées vaines – jusqu'au moment où Arrow s'intéressa à une ancienne piste de braconnier. La famille de l'homme affirmait qu'il n'aurait jamais commis l'erreur d'aller dans cette direction, mais Arrow était bien déterminé à vérifier. Stoklos le suivit et, tout en bas de la piste, ils entendirent l'homme crier au secours. « Si je n'avais pas fait confiance à Arrow, nous n'aurions sans doute jamais sauvé la vie de cet homme », conclut-il.

Il y a des races moins douées que d'autres pour transmettre des signes. La queue étant l'instrument le plus inestimable, tous les chiens qui en sont dépourvus sont désavantagés. Les Rottweilers, par exemple, ont la queue coupée. Leur race a été sélectionnée pour qu'ils aient un large poitrail et une posture imposante. Ils ont du mal à faire preuve de soumission, le fait de reculer et de paraître humbles n'étant pas ce qu'ils préfèrent

À la différence de leurs cousins domestiqués, tous les chiens sauvages ont une forme et des couleurs adaptées à l'envoi de signes. Ils ont une robe courte qui ne masque pas leur langage corporel, des poils drus sur le cou qu'ils peuvent hérisser en signe d'avertissement, des marques faciales bien distinctes qui mettent leurs expressions en valeur, et un ventre blanc qui souligne leur soumission quand ils se roulent sur le dos.

Déchiffrer les émotions de votre chien

Il est facile d'interpréter de nombreux mouvements et expressions canins – un regard dur, un petit coup de museau – qui nous donnent un aperçu direct de ce que notre chien est en train de ressentir, dit Ian Dunbar, spécialiste du comportement animal et auteur de *The Dog Behavior*. D'autres actes du chien – se donner des petits coups de langue rapides sur le museau, se gratter, se

LE BON ?? TRUC

Les chiens rêvent-ils ?

Quand un chien endormi se met à japper et à agiter les pattes comme s'il courait, il y a un fort à parier qu'il est en train de rêver. Mais il ne fait pas un de ces rêves angoissés dignes de la psychanalyse. Non, d'après ses mouvements et son expression, il s'avère qu'il rêve de ses activités favorites.

Il faudra encore beaucoup de temps, probablement, avant que les scientifiques comprennent à quoi rêvent les chiens. Cependant, nous pouvons faire des suppositions sensées, basées sur ce que nous savons d'eux quand ils sont réveillés. « Je crois que les chiens rêvent d'odeurs », déclare Jeffrey Masson. « C'est leur principal sens. Le nôtre est la vue, or nous rêvons visuellement ».

secouer ou bâiller – n'ont pas une signification aussi évidente. Plus vous étudierez son langage corporel, plus vous comprendrez les sentiments de votre chien.

Pour les chiens, le langage corporel fait naturellement parti de la vie quotidienne. Ils ne prennent pas le temps de réfléchir à ce qu'ils expriment ou à leur façon de s'exprimer. Leur langage corporel intervient spontanément – et il intervient la plupart du temps.

Les Bobtails ont des difficultés pour envoyer des messages clairs. Ils ne peuvent pas hérisser leurs poils du cou, qui sont trop fins, et leurs yeux sont cachés.

ATTITUDES CORPORELLES

Les chiens font passer presque tous leurs messages par le langage corporel. Certains sont plus faciles à comprendre que d'autres, mais avec un peu de pratique, vous serez vite capable de tous les déchiffrer.

▶ **Bonjour.**

Quand les chiens accueillent leur maître ou l'un de ses amis, ils se mettent à aboyer joyeusement. Ils ont la queue en l'air et l'agitent, tout en se précipitant vers la personne. Souvent, quand un chien s'approche de son maître, il commence à indiquer son statut inférieur en s'accroupissant, en baissant la queue ou en se roulant par terre, dit Michael auteur d'un ouvrage sur la compréhension des chiens.

Entre eux, les chiens ont une approche légèrement différente. Ils se rapprochent l'un de l'autre sur le côté, et commencent à se tourner autour. Ils restent debout, sur la pointe des pattes, les oreilles dressées, la queue en l'air. Ils se lèchent mutuellement le museau et l'arrière-train pour obtenir des informations vitales sur leur sexe, leur statut et leur humeur. Les chiens qui se connaissent déjà passent moins de temps à se renifler que ceux qui ne se connaissent pas. S'il est évident que l'un d'eux domine, il va donner l'impression de grandir, tandis que le chien subordonné va sembler rétrécir.

L'un des deux va peut-être poser sa tête ou sa patte sur l'épaule de l'autre dans une tentative de domination. S'ils sont à peu près à égalité, ils vont se bousculer, l'un des deux essayant de mettre son menton sur l'épaule de l'autre. Souvent, ces poses continuent jusqu'à ce qu'ils acceptent leur égalité. Les chiens amis qui se considèrent égaux s'accueillent par des mouvements brefs, rapides ; ils tournent en rond et se sautent après. Les connaissances (mais pas les amis) se flairent, et le chien subordonné s'abaisse devant l'autre. Parfois, il lèche le museau du chien dominant et lève une patte vers lui en signe de paix. Une fois la pose terminée et acceptée, les chiens peuvent se renifler, se sauter dessus avant de s'adonner à des ébats beaucoup plus amusants.

ATTITUDES CORPORELLES — Suite

▼ Bonheur, calme, détente

Quand les chiens se sentent détendus et satisfaits, tout leur corps irradie le bonheur. Les chiens détendus se tiennent les quatre pattes jointes. S'ils sont assis ou allongés, ils ont une position décontractée, leurs muscles n'ayant aucune tension. Les chiens aux oreilles droites les relâchent en les laissant tomber légèrement de côté. Ceux qui ont les oreilles pendantes les laissent tomber ou les pointent en avant. Leur tête est à un niveau confortable, ni trop haut ni trop bas, et ils ont le front lisse, le coin des babines relaxées, la gueule fermée ou légèrement entrouverte comme s'ils souriaient. La queue est calme ou remue doucement. La position de la queue dépend de la race. Certains chiens, comme les Afghans, la portent très bas quand ils sont détendus alors que d'autres, comme les Fox terriers et les Airedales, la portent haut.

▶ Joie

Quand les chiens veulent jouer avec leur maître, ou avec un autre chien, ils abaissent la moitié supérieure de leur corps vers le sol. Leur arrière-train est pointé en l'air, ce qui donne l'impression qu'ils font la révérence, et leur queue s'agite frénétiquement en signe d'anticipation. Ils peuvent aussi baisser la tête, les babines détendues, et haleter. Ils lancent parfois un aboiement aigu, redressent vivement les oreilles en les orientant en avant, ou bien, si elles sont tombantes, ils les relèvent le plus haut et le plus loin possible en avant. Quand on répond à leur invitation à jouer, les chiens se mettent à bondir et à aboyer d'excitation. Une fois que le jeu est engagé, leur langage corporel exubérant, depuis leurs oreilles bien droites jusqu'au mouvement vif de leur queue, exprime le bonheur.

◀ Intérêt

Quand l'attention d'un chien calme et détendu est subitement captée par quelque chose, toutes les parties de son corps se mettent en mouvement dans tous les sens. Il relève la tête, dresse les oreilles et les ramène en avant. Il s'incline légèrement en entrouvrant les babines. Son regard devient brillant et intense. Il peut aussi lever une patte, signe qu'il est prêt à passer à l'action.

ATTITUDES CORPORELLES — Suite

◀ Ennui

Les chiens confinés dans des espaces réduits, sans stimulation mentale, s'ennuient vite. Ils paraissent indifférents et moroses, leurs oreilles retombent et ils ont le regard vide. Dans ces cas-là, ils sont aplatis par terre, la tête souvent posée sur les pattes avant, la queue immobile. Mais ils peuvent secouer leur air affligé dès l'instant où on leur propose quelque chose d'amusant et d'intéressant à faire.

▶ Excitation

Les chiens s'excitent en jouant entre eux ou à l'arrivée d'un ami humain, ou encore à l'heure de la promenade ou du jeu. Ils montrent leurs sentiments très clairement en sautant partout, ou alors ils attendent, tout frémissants, en remuant vigoureusement la queue. Ils anticipent souvent ce moment de plaisir en pointant les oreilles en avant, et leurs yeux brillent de bonheur.

Quand ils accueillent leurs maîtres, ils se précipitent vers eux, en agitant la queue, la tête relevée, et ils leur donnent des petits coups de museau. Il leur arrive aussi de ramener les oreilles en arrière, en signe non pas de peur, mais de respectueuse soumission.

▶ Tristesse

Un chien triste adopte le langage corporel de la soumission. Tout comme un être humain, il semble complètement découragé et garde la tête baissée, la queue immobile.

Mais il est rare que les chiens soient tristes, sauf quand ils se trouvent longtemps seuls. Dès qu'on s'occupe d'eux, soit en leur faisant faire de l'exercice, soit en les stimulant mentalement, ils se détendent et retrouvent la joie de vivre.

▲ La traque

Quand un chien s'intéresse activement à quelque chose qu'il décide de chasser, traquer, ou dont il veut faire son jouet, il baisse légèrement la tête tout en observant l'objet de sa convoitise. Ceci est particulièrement courant chez les chiens de chasse ou de berger, élevés pour avoir ce genre d'activités. La moitié avant de leur corps s'abaisse quand ils suivent une trace, alors que leur arrière-train reste relevé. Ils observent l'objet de leur intérêt d'un regard fixe et perçant. Même quand ils ne bougent pas, ils s'apprêtent à bondir à la moindre occasion.

ATTITUDES CORPORELLES — Suite

◀ Protection

Quand les chiens décident eux-mêmes de garder et de protéger ce qu'ils considèrent leur propriété, leur langage corporel se rapproche de celui des chiens vigilants et dominants. Mais s'ils se sentent défiés, ils se mettent à donner d'infaillibles signes d'agressivité : ils montrent les dents, relèvent la tête en la tendant en avant, tandis que leur regard fixe et audacieux montre qu'ils se sentent à égalité et qu'ils sont prêts à relever le défi. Ils s'étirent en avant pour paraître plus grands qu'ils ne le sont en réalité et se campent fermement sur leurs pattes afin de signifier clairement qu'ils vont tenir bon.

▶ Agressivité

Les chiens qui se sentent agressifs ou qui sont sur le point d'attaquer se redressent en étirant le cou pour donner l'impression qu'ils sont plus grands, plus forts et plus redoutables. Ils se penchent en avant, sur la pointe des pattes, et hérissent leurs poils du cou et du dos, autre moyen efficace de prendre davantage de volume. Ils hérissent aussi parfois les poils de leur queue, qui est relevée mais immobile. Ils dressent les oreilles et les pointent en avant. Ils peuvent se mettre à gronder, le museau plissé, le coin des babines poussé en avant, les babines serrées et tendues. Ils ont le regard fixe et dur. Avec l'escalade de l'agressivité, ils retroussent les babines pour découvrir leurs dents et écartent légèrement les pattes arrière pour se préparer à sauter et à se battre.

► Besoin d'attention

Les chiens sont des animaux à l'instinct grégaire. Ils aiment jouer, être caressés, ou simplement rester près de leur maître. Ils adorent se promener, non seulement pour l'exercice lui-même et la stimulation que leur procure tout ce qu'ils peuvent voir ou sentir, mais aussi pour être en compagnie humaine. Et parce que les chiens sont très sociables, ils passent beaucoup de temps à solliciter l'attention de leur maître.

Une patte posée sur votre genou est parfois le geste péremptoire d'un chien qui veut dominer, ou un geste apaisant de la part d'un chien plus soumis, mais la plupart du temps, c'est surtout une façon de dire : « S'il te plaît, j'aimerais un peu d'attention ! » S'il bat l'air avec sa patte devant vous, s'il glisse sa tête sous votre main avant de la soulever brusquement ou s'il se dresse sur ses pattes arrière et s'appuie sur votre jambe, votre chien poursuit le même but. Les chiens emploient encore d'autres tactiques courantes pour attirer l'attention sur eux, comme donner un coup de museau ou de patte au journal ou au livre que vous êtes en train de lire, quand ce n'est pas directement à vous, ou gratter bruyamment le sol comme s'il se mettait à le creuser.

ATTITUDES CORPORELLES — Suite

▼ Domination

Les chiens dominants se tiennent très droits. Quand ils se rencontrent, ils relèvent la tête et la queue. Ils hérissent leurs poils le long de la colonne vertébrale et sur le cou pour avoir l'air plus imposant. Ils se tiennent parfois sur la pointe des pattes et font un ou deux pas en avant, les pattes très tendues. Ils ramènent les oreilles vers l'avant, et les redressent autant que le permettent leur forme et leur position naturelles. L'un des deux va poser une patte sur l'épaule de l'autre pour affirmer sa domination. À moins que l'autre ne commence à montrer des signes de soumission, ils peuvent résoudre par une bagarre cette lutte pour le pouvoir.

L'accouplement et les autres comportements sexuels ne sont pas toujours liés à la reproduction. Parfois, un chien s'accouple avec un autre pour exprimer sa supériorité. Il peut très bien s'agir de deux mâles ou de deux femelles. Les chiens qui ont ce genre de comportement avec leur propre maître font preuve du plus grand manque de respect.

Les chiens accueillent couramment les gens en sautant et en essayant de leur lécher le visage. Ceux qui sautent sur leur maître en ayant la queue droite et les oreilles dressées expriment un désir de domination.

▶ Soumission

Les chiens soumis tentent toujours de paraître plus petits qu'ils ne sont, pour exprimer : « Je ne me mesure pas à toi, alors sois gentil, ne me fais pas de mal ». Ils s'accroupissent ou se recroquevillent, le dos arqué, la tête baissée et rentrée. Ils ont le front détendu, les oreilles basses, couchées en arrière. Évitant le contact visuel, ils détournent généralement les yeux. Ils redressent le coin des babines, ce qui peut donner l'impression qu'ils font un sourire, très différent, il est vrai, de ce que nous connaissons en la matière. Ils se mettent aussi parfois à se lécher la truffe. Ils gardent la queue basse, voire serrée entre les pattes arrière, tandis que le bout seulement peut remuer plus ou moins vite. Il arrive aussi qu'ils agitent leurs pattes avant comme pour donner des petits coups.

Quand ils se trouvent en face d'un chien qui les domine, ils se mettent parfois à lui lécher le museau, ou alors ils préfèrent lever une patte vers lui, pour montrer qu'ils sont bien conscients de sa supériorité. À d'autres moments, ils prouvent qu'ils acceptent le statu quo en se léchant le museau, et ils rejettent les oreilles en arrière, soit légèrement, soit en les plaquant contre la tête. Dans ce dernier cas, ils indiquent qu'ils acceptent une réprimande, ce qui est vrai aussi quand ils remuent les oreilles d'avant en arrière et vice-versa, ou qu'ils en tiennent une plus haute que l'autre, mais dans ce cas-là, ils acceptent un peu à contrecœur. S'ils sont entièrement obéissants, ils serrent la queue entre leurs pattes arrière.

Les chiens entièrement soumis s'allongent par terre, se roulent sur le dos en montrant le ventre. Ils rapprochent le plus possible les pattes de leur corps, tandis que leur queue, dont le bout peut remuer légèrement, est coincée entre leurs pattes arrière et recourbée contre leur ventre. Il arrive que des chiens laissent échapper un peu d'urine.

Tous les comportements de soumission ne signalent pas la peur. Un chien peut montrer son ventre à son maître tout en maintenant un contact visuel doux et direct témoignant qu'il n'est pas effrayé. Il a une attitude de respect et de confiance ou il cherche à se faire caresser le ventre.

ATTITUDES CORPORELLES – SUITE

▼ Effroi, peur

Les chiens effrayés qui n'ont pas tendance à être agressifs essaient de paraître plus petits qu'ils ne sont. Ils baissent la tête en couchant les oreilles en arrière. Quand ils sont vraiment terrifiés, ils collent les oreilles contre leur crâne tout en détournant les yeux de ce qui leur fait peur. Leurs pupilles peuvent se dilater, et il arrive parfois qu'ils ferment complètement les yeux pour tenter de se tirer d'affaire. Il n'est pas rare aussi qu'ils gardent les mâchoires fermées, que la peau de leur museau se plisse et que les coins de leurs babines s'affaissent, dans une expression tendue.

Parfois, les chiens se trouvent dans des situations qui leur font peur, mais ils sentent qu'ils ont quelque chose à protéger – que ce soit eux, leur humain ou un bien quelconque – aussi sont-ils prêts à résister. Leur langage corporel exprime alors la peur et l'agressivité. Ils se tiennent le corps légèrement baissé, les jambes arquées, la tête en avant mais basse. Ils peuvent rejeter les oreilles en arrière, ce qui témoigne de leur frayeur, ou les faire aller d'avant en arrière, preuve d'émotions conflictuelles. Certains chiens regardent fixement ce qui les effraie, d'autres regardent ailleurs, d'autres encore montrent le blanc des yeux. Ils découvrent les dents et froncent le nez en signe d'agressivité. Leurs poils du cou se hérissent, et ils gardent la queue basse, mais hérissée elle aussi. Un chien effrayé qui, se sentant acculé, se montre agressif, doit être pris au sérieux. Il exprime qu'il se sent tout à fait prêt à mordre.

▶ Anxiété

Les chiens stressés baissent la tête et halètent dans un effort désespéré de soulager leur angoisse. Leurs pupilles se dilatent et ils sont incapables de regarder la personne ou quoi que ce soit qui provoque leur détresse. Ils ont les oreilles couchées et leurs babines sont également tirées en arrière et plissées au coin. Ils se baissent et serrent la queue entre leurs pattes. Il arrive souvent que leurs pattes transpirent. Ils peuvent parfois rouler sur le dos et montrer leur ventre tout en laissant tomber quelques gouttes d'urine. Les chiens qui restent assis avec une patte levée sont généralement inquiets ou anxieux.

▼ Soulagement

Pour se calmer, les chiens utilisent de nombreux signes du langage corporel, soit avec d'autres chiens, soit avec les gens qui font partie de leur vie, affirme Terry Ryan, dresseur. Ces actions, appelées des signes calmants, paraissent assez peu en accord avec ce qui se passe au même moment. C'est l'équivalence canine de la façon dont les gens changent brusquement de sujet de conversation pour éviter une dispute imminente. Parmi les signes calmants les plus répandus figurent le bâillement, le fait de se donner des petits coups de langue, de tourner le dos, de rompre le contact visuel, de renifler, de se gratter ou de se secouer comme si le chien était mouillé. Pour savoir si les chiens se servent de ces signes calmants, il faut chercher un acte qui soit en dehors du contexte. Par exemple, pendant une leçon d'obéissance, un chien peut soudain se mettre à gratter son collier. S'il s'avère qu'il n'a pas de puces et qu'il se gratte pour la première fois depuis le début de la leçon, c'est qu'il tente probablement de soulager son stress, et qu'il essaie de faire comprendre : « Je me suis assez concentré, j'aimerais bien une petite pause ! »

CHAPITRE ONZE

CE QUE VOTRE CORPS LUI RACONTE

Les chiens nous observent avec plus d'attention que nous ne les observons.
Il est nécessaire d'étudier de près votre langage corporel
afin de ne pas envoyer à votre chien un message erroné.

Vous avez passé une mauvaise journée au bureau ? Votre chien le sait dès que vous franchissez le seuil de votre maison. Si vous pouvez connaître les états d'âme de votre chien d'après ses attitudes et la façon dont il remue la queue, il est tout aussi capable de lire votre humeur et vos intentions dans les centaines de poses, de gestes et d'expressions faciales que votre langage corporel utilise sans arrêt, parfois inconsciemment.

Certains de ces indices sont tout à fait évidents. Quand vous entrez dans la cuisine ou que vous prenez la laisse, votre chien n'a pas besoin d'avoir le cerveau d'Einstein pour comprendre ce qui va se passer. Mais les chiens peuvent aussi commettre de terribles erreurs. Ils captent et évaluent immédiatement des détails que nous ne remarquons même pas, tel un changement de position ou un coup d'œil rapide. Ils voient tout de suite si vous êtes triste ou content, si vous êtes prêt à jouer, ou si vous en avez assez qu'il renverse la poubelle.

« Les humains ont un fantastique vocabulaire, très extensif, mais la majeure partie n'est qu'un livre fermé pour les chiens, aussi attachent-ils une grande importance aux signes physiques », dit Steve Aiken. En fait, ils sont tellement sensibles au langage corporel qu'il leur arrive de voir des mes-

Quand la maîtresse de ce Labrador se met à quatre pattes, elle imite la position que le chien prend quand il a envie de s'amuser. Son chien sait qu'ils vont se mettre à jouer.

sages là où il n'y en a pas. Beaucoup de malentendus seraient évités, à la maison, si les gens étaient un peu plus conscients des signes qu'ils émettent.

Voici un scénario courant : à quatre pattes, vous cherchez désespérément votre alliance ou une vis indispensable, et votre chien vous saute sur le dos, court en rond et aboie à pleins poumons. Ce n'est vraiment pas le moment de vous demander de jouer, aussi vous le rembarrez en le repoussant, et il sort, la tête basse, tout déçu. Il s'était trompé sur votre humeur, mais il avait une bonne raison. Quand un chien veut jouer avec un congénère, il va souvent s'accroupir et mettre la queue en l'air, ce qui s'appelle une révérence ludique, et c'est exactement ce qu'il croyait vous voir faire, d'après Melissa Shyan, spécialiste du comportement et professeur de psychologie à l'université.

Voici un autre exemple : les gens qui ont une conversation pénible au téléphone prennent une voix un peu grinçante ou se mettent à avoir une respiration difficile ou superficielle. Les chiens reconnaissent alors les signes du stress, et deviennent parfois un peu anxieux, surtout s'ils croient que leur maître est stressé à cause d'eux. Si cela se produit plusieurs fois, ils peuvent associer le téléphone à cette angoisse et commencer à se sentir mal chaque fois que leur maître va s'en servir.

Ce n'est ni pratique (ni nécessaire) de vous soucier sans arrêt de la façon dont votre chien interprète les expressions de votre visage ou de votre langage corporel. Comme les humains, la plupart des chiens suivent le mouvement et une petite méprise ne peut pas les perturber trop longtemps. Mais si vous avez l'impression que le comportement de votre chien a changé à cause de ce que vous avez pu faire, il est important d'observer le genre de signes que vous lui avez envoyés. « C'est à vous de réagir par rapport à votre chien si vous croyez qu'il a mal interprété votre langage corporel », dit Deena Case-Pall, psychologue et spécialiste du comportement animal. « Sinon, il continuera d'associer cet acte à sa première impression », dit Deena Case-Pall.

HISTOIRE DE CHIEN

Chien en patrouille

Peu de chiens sont aussi bien dressés que ceux qui accompagnent les policiers en service. Le Centre National de Dressage Canin de Columbus, dans l'Ohio, dresse chaque année plusieurs chiens qui leur sont destinés. Des unités du centre ont été installées dans tous les services de police des États-Unis.

Cependant, la grande efficacité de ces chiens n'est pas uniquement due à leur entraînement intensif, mais aussi au fait qu'ils se concentrent sur leur maître. De nombreux chiens de policiers vivent vingt-quatre heures sur vingt-quatre avec les officiers de police qui s'occupent d'eux.

Curt Larsen, un policier de l'unité installée à Poughkeepsie, dans l'État de New York, passe autant de temps, parfois plus, avec son Berger allemand, CheeBee, qu'avec sa famille – ce dont témoigne le bon travail exécuté par CheeBee.

« Quand je patrouille dans les rues, il se comporte comme n'importe quel autre chien : il aime bien regarder le paysage par la vitre de la voiture », explique Larsen. « Mais dès qu'il se passe quelque chose, il s'en rend compte à ma façon de conduire et de me tenir. Si j'accélère pour avoir le feu vert, CheeBee s'apprête à agir. Il se raidit et regarde droit devant lui en redressant les oreilles ».

CheeBee devine également si l'intervention de Larsen auprès des gens, dans la rue, va être amicale ou non. « Il sait par mon attitude s'il doit s'inquiéter ou non, » ajoute-t-il. « S'il me voit serrer la main de la personne ou lui donner une petite tape dans le dos, il comprend que tout va bien. Mais un jour, alors que je venais de trouver de la drogue sur un gars, le gars m'a repoussé et CheeBee a bondi du car et lui a sauté dessus ».

Comment les chiens apprennent à lire en nous

À l'instar des enfants qui apprennent très vite à déceler des indices chez leurs parents, les chiens ont compris qu'il était sage d'observer leurs maîtres. Après tout, ce sont les humains qui leur octroient leur nourriture et leur ouvrent la porte du jardin. Ce sont eux qui décident aussi quel est le moment de jouer, et le moment d'être sérieux. Les chiens trouvent la vie encore plus agréable lorsqu'ils peuvent prévoir ce qui va se passer, et ils n'ont pas de plus sûr moyen d'y parvenir qu'en guettant les signes silencieux de leurs propriétaires. Avec le temps, ils deviennent remarquablement compétents pour lire et interpréter ces signes. Ils ont la capacité, presque inquiétante, de savoir ce qui se prépare. Dans certains cas, en fait, ils savent avant vous ce que vous allez faire !

Ce genre de « lecture de l'esprit » ne pouvant que renforcer les liens entre les gens et leurs animaux familiers, Aiken recommande de l'encourager à chaque occasion. La prochaine fois que votre chien s'écartera vivement du passage quand vous ferez le moindre mouvement dans sa direction, récompensez-le pour sa faculté d'anticipation, conseille-t-il. Cela le rendra encore plus déterminé à vous surveiller de près. Il aiguisera graduellement son sens de l'observation et se laissera rarement prendre par surprise.

Le sens de l'observation est naturel chez les chiens. Ils avaient autrefois l'habitude de vivre en meutes, et il était indispensable pour chacun d'eux de savoir ce que les autres allaient faire, et de connaître la signification de leurs mouvements. Depuis les milliers d'années que les chiens sont domestiqués, ils ont sans aucun doute perdu une grande partie de leurs instincts de survie, mais pas

PARTICULARITÉ DE LA RACE

Certaines races interprètent plus facilement que d'autres les signes corporels : les chiens de bergers tels que les Corgis (ci-dessous) et les Kelpies australiens, ont été élevés pour surveiller les troupeaux, et prévoir ainsi leurs va-et-vient. Ces chiens ont été dressés essentiellement par des signes de la main, aussi prêtent-ils une attention soutenue au langage du corps. Leur instinct reste si fort que même ceux qui ne gardent plus les troupeaux ne peuvent s'empêcher de poser un œil vigilant sur ce qui les entoure.

leur don d'observation, qui continue à leur être utile.

Les chiens ont des sens extrêmement aigus mais leurs interprétations des gestes humains et des expressions du visage sont limitées. Quel que soit leur degré de concentration, il leur est impossible de penser vraiment comme un être humain. Ils doivent améliorer leurs aptitudes à comprendre nos gestes et nos modes de comportement en communiquant avec les membres de leur propre espèce, explique Barbara Simpson, vétérinaire spécialiste du comportement animal. Par conséquent, ils se concentrent principalement sur des signes identiques à ceux qu'utilisent d'autres chiens ou à ceux qu'ils croient indispensables à leur survie. « Les chiens se souviennent des situations dans lesquelles ils ont souffert, et ils prennent garde à ce qu'elles ne se reproduisent pas. Mais comme ils veulent surtout passer du bon temps, ils guettent les signes annonciateurs d'une action qui va les rendre plus heureux ».

Utilisation efficace du langage corporel

Les chiens ne seront jamais capables d'apprendre notre langue ou le langage des sourds-muets, et les humains ne parviendront jamais à communiquer par le langage du corps avec autant d'expressivité que les chiens. Mais en général, il n'est pas si difficile de se servir de son corps, de son visage ou de ses mains pour envoyer des messages un peu plus précis – ou du moins pour éviter d'émettre des signes déroutants pour les chiens, qui ne demandent pourtant qu'à apprendre.

Posture

Les gens qui portent fièrement la tête haute et redressent les épaules envoient au monde un mes-

Ce Golden retriever est heureux que son maître lui caresse la tête ; mais si un étranger faisait la même chose, il serait peut-être inquiet.

sage silencieux signifiant : « J'ai confiance. » Les autres les respectent parce qu'ils ont confiance en eux, et les chiens font de même.

Associez à une posture confiante une démarche rapide et assurée, et les chiens admettront vite que c'est vous qui commandez et que vous prenez tout en mains. Ils réagissent immédiatement car ils ont vu des congénères confiants – et ayant un formidable statut parmi leurs pairs – agir de la sorte.

Gestes du bras et de la main

Les gens agitent souvent les mains et les bras en parlant, ou en éprouvant une forte émotion, et nous savons par intuition ce que chaque geste signifie. Si vous tenez votre main au-dessus de la tête de quelqu'un, par exemple, cette personne va se sentir vaguement menacée, alors que si vous avez les bras grands ouverts, vous paraîtrez amical et engageant. Or, les chiens réagissent à ces deux gestes de la même façon. Ils n'aiment pas que des inconnus se penchent pour leur caresser la tête.

Parmi les chiens, ce genre d'approche est considéré comme une provocation, voire une invitation à se battre. En revanche, les bras grands ouverts ressemblent pour eux à la position sur le dos, pattes écartées, qu'ils adoptent en jouant, ou quand ils sont calmes. Pour eux, les gens ayant une position « ouverte » sont amicaux et sans danger.

Des mouvements rapides de la main peuvent effrayer les chiens ou les exaspérer. Au cours des siècles passés, tout ce qui se déplaçait rapidement représentait pour eux soit un repas, soit un agresseur, explique le docteur Shyan. C'est pourquoi ils sont sur le qui-vive dès que nous faisons un mouvement vif. Ils se sentent beaucoup plus rassurés lorsque nous bougeons les mains lentement et délibérément.

Ce Collie voit son maître ouvrir les bras pour lui souhaiter la bienvenue, aussi est-il impatient de se précipiter à son appel.

dain un exercice routinier ou un jeu de lutte avec quelqu'un d'autre », affirme Bill Wolden, dresseur. « Beaucoup de chiens se sentent menacés et restent sur le qui-vive jusqu'à ce qu'ils comprennent se qui se passe. Ils se sentent bien plus à l'aise si vous agissez lentement ».

Certaines personnes ont tendance à en faire un peu trop avec le langage corporel quand elles accueillent des chiens qu'elles ne connaissent pas. Elles tendent les mains vers eux pour qu'ils les sentent ou elles agitent les bras pour montrer leur joie et leur enthousiasme. Ce ne sont pas tant les mouvements eux-mêmes qui sont problématiques, que la vitesse et l'énergie avec lesquelles ils sont exécutés. Spontanément, les chiens sont un peu nerveux avec les étrangers et, s'ils interprètent les gestes trop emphatiques comme des menaces, ils peuvent réagir avec agressivité.

Mouvements rapides ou saccadés

Quand deux chiens vont s'affronter, ils se raidissent, se grandissent, et leurs mouvements deviennent saccadés et nerveux. « De la même façon, les chiens captent tout ce qui paraît anormal ou inquiétant dans nos gestes », dit Aiken. « Quand vous faites des gestes saccadés parce que vous vous sentez mal à l'aise si quelqu'un arrive chez vous, votre chien s'en rend compte et pense aussitôt que quelque chose ne tourne pas rond ». Alors que si vous vous déplacez lentement, il sait que vous êtes calme et il se détend lui aussi.

« Chaque chien réagit en fonction de sa personnalité, mais la plupart sont surpris si leur maître fait sou-

Expressions faciales

Comme les êtres humains, les chiens heureux ont le front détendu et cherchent un contact visuel, et quand ils sont en colère, ils froncent les sourcils et ont un regard fixe et dur. Mais là finissent les similitudes : un sourire humain et un sourire canin ont des significations complètement différentes.

Les gens sourient quand ils sont heureux. Les chiens, eux, sourient – ou plutôt, montrent les dents – quand ils ont peur. Ils retroussent leur babine supérieure et découvrent leurs crocs, qui paraissent très menaçants. C'est leur façon de faire peur à tout ce qui les effraie. Les instructeurs recommandent de garder la bouche fermée, ou du moins de faire en sorte de ne pas trop montrer les dents quand vous voyez un chien inconnu qui paraît sur la défensive. Si vous souriez, il risque de mal réagir, croyant que vous le menacez.

« La plupart des chiens apprennent très vite que le sourire humain est une bonne chose », ajoute Mary Welther, dresseur. « Le langage corporel qui accompagne le sourire leur fait comprendre cela, et ils apprennent à réagir d'une manière positive. Si vous souriez à votre chien quand il n'est pas très sûr de bien faire, il comprend vite que vous approuvez son comportement ».

Déplacez-vous comme les chiens

La mauvaise communication est plus courante entre les étrangers. Quand vous avez passé quelques années avec un chien, chacun de vous a un bel aperçu du langage corporel de l'autre, et il ne risque pas d'y avoir trop de surprises. Cependant, un nouveau chien, ou un chien que vous ne connaissez pas très bien, peut accueillir votre langage corporel, très

significatif pour votre propre animal, avec perplexité, incompréhension, ou pire encore. Il vaut mieux connaître un peu le langage canin universel pour rendre les présentations plus amicales.

Mettez-vous à son niveau. Dans la mesure où, pour en intimider d'autres, les chiens étirent leurs pattes et tendent le cou pour paraître plus grands qu'ils ne sont, ils supposent que les gens font

COMMENT GARDER LEUR ATTENTION

N'importe quel chien peut apprendre à être plus attentif. Les chiens de berger n'ont pas besoin d'être beaucoup encouragés, mais la plupart des chiens se déconcentrent très facilement. Il existe un moyen de les garder alertes et attentifs, c'est de leur enseigner l'« ordre » suivant : « regarde-moi ! »

1 Dites à votre chien de s'asseoir en face de vous et faites-lui sentir la friandise que vous tenez dans la main. Dites-lui « regarde-moi ! », puis éloignez-la de son museau vers votre menton. Pendant qu'il la regarde, observez ses yeux.

2 Quand il vous regarde, dites-lui « tu es un bon chien de me regarder », et donnez-lui la friandise. Refaites-le deux ou trois fois puis arrêtez-vous. Répétez l'exercice à nouveau plusieurs fois. Quand il fait des progrès, rendez l'exercice plus difficile. Faites regarder votre chien plus longtemps, ou alors déplacez-vous pendant qu'il vous regarde. Ensuite, quand vous voudrez lui apprendre autre chose, vous pourrez d'abord lui ordonner « regarde-moi » pour être sûr qu'il vous écoute.

la même chose et qu'ils viennent les braver quand ils surgissent au-dessus d'eux.

L'accueil le plus amical consiste à se mettre à leur niveau, soit en s'agenouillant, soit en se penchant doucement. Plus vous vous penchez vers eux, plus ils se sentent importants, ce qui peut leur permettre aussi de se sentir moins menacés, donc plus en sécurité. C'est aussi une bonne idée de tendre lentement la main vers eux, sans être trop prêt, pour qu'ils la flairent rapidement. « Les chiens reniflent les étrangers pour se faire une idée sur eux », explique Wolden.

Attention au regard. Les chiens veulent bien regarder leur maître droit dans les yeux, mais ils considèrent qu'un regard direct venant d'un étranger est aussi offensant qu'agressif. Vous pouvez regarder dans les yeux un chien inconnu pour voir sa réaction, mais ne maintenez pas votre regard plus d'une seconde (s'il se met à gronder ou à agir avec agressivité, évitez complètement le contact visuel). Il est préférable de détourner les yeux et de regarder juste derrière lui quand vous le rencontrez pour la première fois. Vous pouvez aussi baisser les paupières s'il vous regarde dans les yeux, ce qui est une manière de lui dire : « Détends-toi, je ne te menace pas ! »

Approchez-les par le côté. Les chiens se disent bonjour entre eux en se reniflant l'arrière-train, ce qui implique une approche latérale. Il n'est pas question de les imiter, mais si vous les abordez par le côté, ils vont considérer que vous êtes bien élevé, et vous aurez donc toutes les chances de vous en faire des amis. Quand vous allez directement, de face, à la rencontre d'un chien, il est mal à l'aise et risque de prendre vos intentions amicales pour des menaces.

Laissez vos émotions au bureau. Il n'y a pas de solution pour éviter les jour-

nées ratées, mais ce qui vous met en boule peut aussi rendre votre chien excessivement nerveux. Quand vous entrez en faisant claquer la porte et en marchant bruyamment, il comprend tout de suite que la soirée va être pénible. Mais le pire, c'est qu'il va vraisemblablement croire que vous êtes dans tous vos états à cause de lui. « Vous seriez certainement aussi tendu que lui si quelqu'un se précipitait ainsi sur votre territoire », affirme Aiken. Vous ne pouvez pas vous forcer à être de bonne humeur, mais vous pouvez vous arrêter dans l'allée pour imaginer votre arrivée du point de vue de votre chien.

La maîtresse de ce chien croisé de Labrador a laissé ses préoccupations dehors pour lui offrir un accueil chaleureux et amical.

CHAPITRE DOUZE

LES EXPRESSIONS FACIALES

Les chiens ne peuvent pas afficher une expression heureuse quand ils sont tristes.
Chaque race a un regard qui lui est propre, et les chiens ne peuvent pas en changer.
Leur état d'esprit est donc facile à vérifier.

Il nous est possible de connaître jusqu'à un certain point l'humeur de quelqu'un d'après son expression. Mais l'être humain a la capacité de masquer sciemment ses émotions, de se composer un visage qui ne laisse pas entrevoir ses sentiments réels. Les chiens ont de nombreuses expressions faciales, et il est généralement très facile de voir s'ils sont heureux ou tristes, satisfaits ou en colère. Bien qu'ils ne puissent pas, contrairement à nous, dissimuler ou tromper délibérément sur leur état d'âme, les caractéristiques de leur race, ou de leurs races croisées, peuvent provoquer une confusion. Leurs dessins, leurs couleurs, la forme de leur tête et de leurs yeux sont des choses auxquelles ils ne peuvent rien changer. Mais dans la mesure où nous persistons à associer un certain état d'âme avec ces apparences immuables, une mauvaise communication risque d'en résulter.

Il arrive souvent que les gens choisissent un chien uniquement d'après la perception qu'ils ont de la personnalité de telle ou telle race, personnalité reliée à son expression naturelle. « Les Golden Retrievers paraissent toujours très heureux, et c'est ce que je voulais, pas un chien trop sérieux, » dit Nancy Hoffman. Les Labradors les Malamutes d'Alaska, les Samoyèdes semblent toujours, eux aussi, avoir une expression enjouée.

D'autres races donnent des impressions différentes. Les Border Collies ont les oreilles droites et un regard intense, ce qui fait croire aux gens qu'ils sont

*Tout, dans l'expression de ce Golden Retriever,
laisse entendre qu'il n'a pas le moindre souci.*

toujours sur le qui-vive. Quant aux Carlins, avec leur museau aplati, leur tête noire et leurs grands yeux, ils paraissent toujours anxieux ou studieux. Bien que ces expressions trahissent une partie de la personnalité de chaque race, elles n'en donnent pas un portrait complet. Les Carlins ne sont pas tous en permanence au bord de la dépression, pas plus que les retrievers ne sont toujours à l'apogée du bonheur.

La position de la tête et des oreilles travaille en tandem avec les expressions faciales des chiens pour nous donner des indications sur leur humeur du moment. Quand ils voient ou entendent quelque chose d'inhabituel, ils redressent les oreilles et les agitent d'avant en arrière en penchant la tête sur le côté. Ceci, lié à leur regard vif et intense, rend leur expression encore plus moqueuse. « Il y a des nuances dans leurs expressions faciales qu'il faut observer attentivement si nous voulons comprendre nos chiens le mieux possible », dit Mary Stout, dresseur. « Une oreille qui tressaille, une babine qui se soulève, la tête qui s'incline, et les froncements de sourcils, tout cela est important et signifie quelque chose ».

Variations structurelles

Bien que leurs traits jouent pour la plupart un rôle très important dans leurs capacités de communication, les chiens ne disposent pas tous des mêmes moyens pour s'exprimer facilement et clairement. Parfois, les caractéristiques inhérentes à une race ou au physique d'un chien limitent son répertoire facial.

Presque toutes les expressions faciales du chien, par exemple, incluent un mouvement quelconque du museau ou des babines. Des races telles que les Limiers, avec leurs grosses babines pendantes, ont du mal à adopter ce genre d'expression. Bien qu'ils grondent en découvrant les crocs, ils ont beaucoup de mal à montrer d'autres expressions nécessitant des mouvements plus subtils (aux coins des babines, en particulier). Et même s'ils parviennent à en exécuter une partie, cela risque d'être extrê-

ÉMOTIONS SOUS EMBALLAGE

Les expressions faciales des chiens au poil court sont en général faciles à déchiffrer. Mais d'autres races, comme les Bobtails et les Lhassa apsos (ci-dessous), ont des mèches luxuriantes qui les dissimulent. Le chien ayant sans doute le poil le plus extravagant est le Berger hongrois, dont les dreadlocks tombant jusqu'à terre font confondre leur tête et leur arrière-train. Alors, comment ces chiens montrent-ils ce qu'ils ressentent ? La majeure partie d'entre eux, comme les Maltais et les Shih tzus, reçoivent une aide de leur maître qui leur attache les poils au-dessus des yeux. Mais les Bergers hongrois n'aimant pas la lumière directe du soleil, leurs poils sont souvent attachés lâche pour leur protéger les yeux. Heureusement, leurs yeux et leur tête à l'expression typiquement joyeuse restent visibles. Ces chiens étant très vivants et très ouverts, ils passent de toute façon assez de temps à bondir de tous les côtés pour que leurs yeux soient dégagés.

mement difficile à discerner, comme, notamment, le fait de se lécher, qui est un acte d'apaisement. De la même façon, les chiens aux babines tombantes ont des difficultés à les relever et à arborer ce que les gens prennent pour une expression joyeuse. À cause de cela, nous pensons souvent que ces chiens sont tristes, même quand ils ne le sont pas.

Quand le répertoire des expressions d'un chien est restreint, il est important d'observer son langage corporel dans sa globalité afin de comprendre ce qu'il tente de communiquer. Les Shar-peis, notamment, ont tiré le mauvais numéro dans ce domaine. Sélectionnés pour avoir une tête plus charnue que les autres races, ces chiens ont une peau incroyablement plissée qui restreint considérablement leurs expressions faciales ainsi que les mouvements de la peau sur le museau, le front et autour des oreilles.

Les poils qui retombent sur les yeux peuvent aussi cacher les expressions faciales des chiens, ce qui est le cas des Bobtails, avec leur robe épaisse et leurs longs poils sur la tête. Ils sont considérablement désavantagés, et la plupart de leurs expressions, de la plus subtile à la plus évidente, sont difficiles à discerner. « Quand je travaille avec une race canine au long pelage, comme le Bobtail, j'observe les mouvements du poil, » dit Mary Stout. « S'il bouge au-dessus des yeux, ou autour de la bouche, je suppose que le chien est en train de s'exprimer. J'observe alors le reste de son langage corporel pour comprendre ce qu'il tente de me dire ».

En comprenant la signification des expressions faciales de votre chien, vous pouvez combiner cette information avec celles de son langage corporel. Vous obtenez ainsi une grille complète de ses sentiments et de ce qu'il veut exprimer.

Marques et couleurs faciales

Certaines races, comme les Doberman, les Bergers australiens, les Bernois, les Rottweilers, et les Chins japonais ont des couleurs et des marques distinctives qui attirent l'attention sur leurs traits. Leurs yeux maquillés d'ocre et leurs babines foncées tranchent sur la pâleur de leur museau et rendent leurs expressions plus visibles.

Imaginez un chien avec un museau clair et des babines noires, des yeux entourés de poils blancs, l'un des deux étant légèrement cerné d'ocre : quand il se met à gronder en retroussant les babines, en fronçant le nez et le front, ses couleurs accentuent son expression. Ses babines noires se dessinent sur la blancheur du museau, et ses dents blanches sont mises en valeur par la couleur soutenue de ses babines. Les couleurs plus claires autour de ses yeux et les marques ocre à l'endroit où devraient se trouver les sourcils donnent encore plus d'intensité à son regard.

Même les races au poil entièrement blanc, tels les Samoyèdes ou les grands chiens des Pyrénées, ou encore les chiens à tête claire, comme les Malamutes d'Alaska, ont souvent les yeux cerclés de noir, le nez et les babines noirs, ce qui rend leurs expressions encore plus évidentes.

LE BON TRUC

Votre chien sourit-il ?

Il ne faut pas toujours se fier aux apparences quand les chiens paraissent souriants. Certains font ce que l'on appelle un sourire grimacé de soumission, explique Ian Dunbar, auteur de Dog Behavior. Il s'agit en fait d'une expression hargneuse pour exprimer des émotions intenses, généralement l'agressivité, mais souvent l'excitation et le bonheur. Cette expression semble liée à la race, puisqu'on la retrouve souvent chez les Bergers australiens, les Dobermans, les Dalmatiens et les Border Collies.

Il risque naturellement d'y avoir confusion quand cette expression est interprétée comme un sourire. La clé, c'est d'observer les autres signes du langage corporel : celui d'un chien « souriant » exprime le bonheur, la queue s'agite, alors que le chien hargneux est tendu et agressif.

Guide des traits de la face

Les traits des chiens fonctionnent ensemble, et le message pour lequel ils s'associent n'est pas difficile à comprendre une fois que vous savez ce que vous cherchez.

Les oreilles. Contrairement à nous, les chiens ont des oreilles mobiles, qui peuvent pivoter, se coucher en arrière ou s'incliner en avant. Elles sont aussi capables de bouger indépendamment l'une de l'autre. Cet éventail de mouvements rend leurs oreilles très expressives. Quand un chien les tient en avant, il est en alerte ; quand elles sont en arrière, relâchées, il se sent détendu. Les oreilles très en avant et tendues témoignent l'agressivité. Les oreilles repliées et serrées en arrière montrent que le chien est effrayé et qu'il est peut-être agressif.

Les yeux. Un regard doux, plein de tendresse, témoigne l'affection et la confiance, l'absence de crainte et de tension. Un regard direct, avide, indique l'intérêt et la vivacité. Un regard de côté prouve la soumission ou l'incertitude. Un chien qui cille rapidement réagit à un stress ; il est probablement en train d'essayer de se calmer. Un regard direct et dur envoie un message de domination ou d'agressivité.

Quand le blanc des yeux d'un chien est visible, il est nécessaire de chercher d'autres expressions du corps pour en comprendre la cause. Si un chien a peur et qu'il couche les oreilles derrière sa tête, l'étirement de sa peau peut dégager le blanc des yeux. Cependant, si le chien est couché sur le dos en attendant qu'on lui caresse le ventre, le blanc de ses yeux peut être visible parce que la pesanteur lui tire les paupières en arrière.

Le front. Si la peau du front d'un chien est relaxée, il en est de même pour lui. Si elle est lisse et légèrement tirée vers l'arrière, ses oreilles sont couchées en arrière parce qu'il est effrayé, ou peut-être même agressif. Un chien anxieux fronce le front, tout comme un humain.

La gueule. Chez la plupart des chiens, la gueule est en position normale quand elle est entrouverte, détendue. Cela ne signifie pas toujours qu'ils sont en train d'éprouver une émotion, mais quand c'est le cas, il s'agit souvent d'un sentiment de bonheur. Un chien haletant peut être nerveux ou stressé, à moins qu'il n'ait simplement chaud. S'il lèche un autre chien, une personne ou son propre museau, il fait un signe de bienvenue ou de soumission, ou il essaie de se calmer, ou de calmer le chien ou la personne qu'il lèche.

Quand un chien claque des dents, cela ne veut pas dire qu'il a froid, mais, en général, qu'il anticipe un moment de bonheur. Un chien qui attend un jouet qu'il aime particulièrement, ou qui s'excite en jouant, peut très bien claquer des dents.

Les babines. Un chien détendu a les babines relâchées, alors qu'un chien agressif va les retrousser en grondant. Un chien stressé tire ses babines en arrière en creusant le coin. Chez de nombreux chiens, les babines noires contrastent avec la couleur du museau, soulignant ainsi leurs expressions, la dimension et la blancheur de leurs dents.

Les couleurs contrastées de ce Bernois montagnard – l'ocre au-dessus des yeux, le noir des babines, la blancheur du museau – attirent l'attention sur ses expressions et les rendent faciles à lire.

EXPRESSIONS FACIALES

Il est aisé de lire les expressions faciales de votre chien une fois que vous en avez compris les subtilités. Vous pouvez ensuite relier ces informations à d'autres indices de son langage corporel afin de mieux comprendre ce qu'il pense.

◀ Détente, bonheur

Tout le monde aime voir cette expression. En fait, les chiens paraissent habituellement très satisfaits et en paix avec le monde. Un chien qui se sent à l'aise, étendu sans inquiétude près du feu ou sur le seuil de la maison, paraît serein et sans souci. Son front est lisse et sa gueule peut être ouverte ou fermée dans une position relaxée, la langue souvent pendante.

Joie

Quand un chien demande à quelqu'un de s'ébattre avec lui, il montre avec beaucoup de clarté sa détermination à s'amuser. « Un chien qui veut jouer a les yeux grands ouverts, les oreilles aplaties ou penchées en avant, et il halète ou salive », dit Melissa Shyan. « Dans ces cas-là, il se comporte vraiment comme un chiot ».

▶ Excitation, accueil

Un chien qui souhaite joyeusement la bienvenue à son maître ou à un ami humain, ou un chiot qui dit amicalement bonjour à un chien plus âgé entrouvre la gueule et actionne sa langue avec rapidité. Il peut tenter de lécher la personne ou le chien, ce qui est un signe infaillible de respect et d'affection, ou alors il peut aussi lécher les coins de ses propres babines.

EXPRESSIONS FACIALES – Suite

▶ Soumission, inquiétude

Un chien soumis, ou qui a une vague inquiétude, jette parfois un coup d'œil indirect à la cause de ses préoccupations, mais il est plus probable qu'il va carrément détourner les yeux. C'est sa façon de dire : « S'il te plaît, ne fais pas attention à moi, je ne te menace pas ». En général, il a les babines fermées, mais parfois elles sont entrouvertes et laissent apparaître sa langue, qu'il passe rapidement sur ses crocs, ce qui est un signe de nervosité ou d'anxiété. Il peut aussi essayer de lécher le chien, ou la personne, en signe d'apaisement, et aussi pour lui garantir qu'il sait où est sa place et qu'il respecte son statut supérieur.

◀ Intérêt, curiosité

Quand l'intérêt d'un chien est éveillé, ses traits suivent le mouvement. « Un chien curieux oriente ses oreilles vers ce qu'il est en train de regarder et il se met à renifler l'air avec l'espoir de trouver la nature de cette odeur inhabituelle », dit le docteur Shyan. Il peut donner des petits coups dans quelque chose avec sa truffe tout en gardant la gueule fermée, à moins qu'il fasse particulièrement chaud, auquel cas elle restera constamment ouverte. La peau de son front peut arborer une légère ride, mais la plupart du temps elle reste lisse.

Quand un chien se met à traquer l'objet de son désir, ses traits restent relevés dans une expression intense. Parfois, il peut loucher légèrement, en gardant les mâchoires fermées, les oreilles fermement redressées.

◀ Inquiétude, anxiété

Les chiens inquiets ou anxieux ont les pupilles dilatées, la bouche ouverte, et ils retroussent les babines, qui forment un creux, au coin. S'ils halètent, c'est qu'ils sont stressés.

Effroi

Les chiens effrayés ne se contentent pas de reculer avec le corps, ils le font aussi avec la tête. Ils laissent retomber leurs babines et serrent les oreilles contre le crâne. En même temps, ils baissent la tête, le plus souvent, et détournent les yeux de ce qui leur fait peur.

▶ Alerte, attention

Les chiens alertes et attentifs font tout à fait le contraire : leurs traits se redressent, tant ils sont avides de voir de plus près l'objet de leur intérêt. Leur regard devient intense et attentif, tandis qu'ils peuvent plisser le front pour mieux se concentrer. La peau autour des yeux va se rider, et la bouche s'entrouvrir. La truffe se met à remuer et les muscles du cou se tendent.

EXPRESSIONS FACIALES – Suite

▶ Agressivité

Les expressions faciales d'agressivité semblent au premier abord très proches de celles d'un chien alerte. Cependant, dès qu'un chien se sent poussé à l'agressivité, ses traits changent d'aspect. Il commence par relever le coin des babines afin de montrer ses crocs. S'il juge ensuite que la situation mérite un avertissement plus sérieux, il retrousse franchement les babines pour découvrir entièrement les dents. Son front se plisse, et la peau qui entoure ses yeux se creuse profondément. Il se met bientôt à gronder ou à aboyer, et fronce le museau si fort, parfois, que ça le fait changer de forme.

◀ Émotions conflictuelles

Les chiens sont parfois indécis sur ce qu'ils doivent faire. Quand ils se sentent un peu effrayés tout en sachant qu'ils ont quelque chose ou quelqu'un à protéger – ce qui peut arriver à un chien timide devant un étranger qui empiète sur son territoire – leurs traits montrent leurs sentiments conflictuels. Ils gardent les oreilles à mi-hauteur pour montrer leur courage, tout en les serrant contre la tête, en signe de peur. Parfois, les oreilles prennent une position intermédiaire, ce qui prouve la confusion du chien. Alors qu'ils peuvent retrousser les babines pour montrer les dents en signe d'agressivité, ils peuvent aussi signaler leur frayeur en tirant les babines en arrière, ce qui va en creuser les coins. En découvrant les dents, ils ouvrent presque entièrement les mâchoires, de façon ni agressive ni tendue, comme le ferait un chiot affolé, les chiens adultes ayant tendance à retrouver des réactions infantiles quand ils sont perturbés.

CHAPITRE TREIZE

LES YEUX

Les chiens ne voient pas le monde de la même
façon que les êtres humains, mais leurs yeux sont tout
aussi expressifs et en disent long sur leur état d'esprit.

L a vue est notre sens le plus important, c'est celui dont nous nous servons le plus. Mais les chiens ne dépendent pas de leur vue autant que nous. Ils s'en servent essentiellement pour avoir la confirmation de ce qui leur est indiqué par leurs autres sens, affirme Craig Larson. Par exemple, les chiens se précipitent vers le portail quand ils entendent la voiture de leur maître. Ce bruit leur est familier, et le fait de voir la voiture ne fait que leur apporter la preuve de ce qu'ils savaient déjà. Le même phénomène se produit avec les odeurs. En reniflant une odeur, un chien sait s'il s'agit d'un écureuil, et suit sa trace. Quand il lève les yeux vers l'écureuil, sa vue le stimule pour le chasser mais ne lui apporte aucune information supplémentaire. Elle confirme simplement ce que son flair lui a déjà appris.

Quand vous tentez de communiquer avec des chiens, vous devez savoir comment fonctionne leur vision et comment ils l'utilisent. Une fois que vous savez cela, vous êtes capable de communiquer par le regard de façon à ce qu'ils comprennent. Vous réalisez également que si votre chien se trompe, la cause en est peut-être qu'il ne voit pas les choses de la même façon que vous.

La vue des chiens

Les yeux des chiens sont plus sensibles à la lumière et au mouvement que ceux des humains, mais ils ne peuvent pas se focaliser aussi bien. C'est pourquoi les chiens peuvent percevoir des mouvements très légers dans la pénombre alors qu'il leur arrive de ne pas voir un ballon à cinquante centimètres d'eux en plein jour. Si les ballons ont des couleurs vives contrastant avec ce qui les entoure, le résultat est le même car les chiens voient très mal les couleurs.

Les chiens et les humains ont un nombre très différent de cellules réceptives oculaires. Ces cellules s'appellent des bâtonnets et des cônes. Les

---

LE BON ?? TRUC

Pourquoi les yeux des chiens brillent-ils dans l'obscurité ?

Braquez vos phares ou une lampe torche sur les yeux de votre chien, la nuit, et vous les verrez briller.

Leurs yeux brillent dans l'obscurité à cause d'une structure qui se trouve derrière la rétine, appelée tapetum lucidum. C'est une couche de cellules d'une haute réflectivité qui donnent aux yeux une seconde chance d'absorber la lumière, explique le docteur Caroline Coile. Le tapetum, chez le chien, est habituellement vert jaune, et c'est la couleur que nous voyons dans leurs yeux, la nuit.

bâtonnets captent les niveaux lumineux très bas, mais uniquement en noir et blanc. Les chiens ont plus de bâtonnets que nous, ce qui signifie que dans la pénombre, leur vue est plus perçante que la nôtre. Ceci est un reliquat de leur vie sauvage. Les proies, comme les daims, étant plus actives à l'aube et au crépuscule, les chiens sauvages devaient être capables de voir dans la pénombre pour avoir une chance d'attraper leur repas, dit Caroline Coile. Par ailleurs, les cônes sont indispensables pour voir pendant la journée et pour capter les couleurs. Les chiens en ont moins que nous.

On a cru pendant longtemps que les chiens voyaient le monde en noir et blanc et en ombres grises, comme sur un écran de télévision noir et blanc, mais les chercheurs savent désormais qu'ils ont une vision minimum de la couleur. Quoi qu'il en soit, le fait de reconnaître les couleurs n'est pas important pour leur vie de tous les jours. « Ils ont vécu pendant tout ce temps sans les reconnaître toutes, » dit Wayne Hunthausen, spécialiste du comportement animal.

PARTICULARITÉ DE LA RACE

Les Lévriers, les Whippets, les Sloughis, et les Barzoïs sont des chiens qui chassent avec la vue plus qu'avec le flair. Très attirés par le mouvement, ils ont un très fort instinct pour chasser des proies mouvantes, et leur vue à distance étant meilleure que celle des autres chiens, ils peuvent suivre leurs proies du regard.

Ce qui est important pour les chiens, c'est de détecter des mouvements, dit le docteur Coile. Quand ils étaient des prédateurs, le mouvement était le déclic grâce auquel ils se concentraient sur leur futur repas. Aujourd'hui, les chiens n'ont plus besoin de chasser mais ils ont gardé l'instinct et le don de leurs ancêtres.

Les chiens ont également un champ visuel plus large que les êtres humains. Ils ont les yeux plus écartés

COMBINAISONS DE COULEURS

Si, la plupart du temps, les yeux des chiens sont bruns, avec des variantes, il n'est pas rare qu'ils soient d'une autre couleur, ou de couleurs mélangées. Certains chiens ont les yeux de couleurs dissonantes : un bleu et un marron, ou un marron et un moitié marron, moitié bleu. Cela est fréquent chez les Huskies de Sibérie, les Dalmatiens, les Bergers australiens, les Colleys et d'autres races dont le pelage est blanc ou bleu picard. Les chiens aux yeux bleus ont une couche de pigment en moins dans l'iris. C'est ce qui leur donne ce regard étrange, et qui rend leurs yeux un peu plus sensibles à la lumière. Mais cela n'a aucune incidence sur leur degré de vision. Cependant, ces chiens naissent très souvent sourds, les gènes à l'origine des yeux bleus et des pelages blancs et bleu picard étant les mêmes que ceux qui provoquent des problèmes auditifs.

que les nôtres, ce qui leur permet de voir sur les côtés. Leur champ visuel s'étend de 190° pour les chiens au museau aplati, comme les Pékinois, à 270° pour les Lévriers, affirme Janice da Silva, vétérinaire ophtalmologiste. Le champ visuel des humains n'est que de 180°.

Ce qui ne varie pas beaucoup d'une race à l'autre est la dimension des yeux. La différence entre le volume du globe oculaire d'un Chihuahua et d'un Mastiff, par exemple, n'est, curieusement, que de 11 %, ce qui explique pourquoi les yeux des chiens de poche ont tendance à être bombés.

Certaines espèces sont plus sujettes que d'autres aux problèmes de la vue. Les Colleys à poil rêche, les Border collies et les Bergers Shetland naissent parfois aveugles à cause d'une mutation génétique, et les races aux yeux proéminents peuvent souffrir de kératite, ou d'usure de la cornée.

La signification du contact visuel

Les chiens communiquent avec les yeux. Par exemple, si un chien tente de subtiliser le jouet ou l'os d'un autre chien, il reçoit un long regard menaçant et, reconnaissant le danger, il bat en retraite. Les chiens utilisent aussi cette méthode pour montrer aux autres qui est celui qui commande, comme l'a constaté Betty Fisher, dresseur, quand elle a présenté un Terre-Neuve à sa chienne chef de meute. « Elle a tourné la tête, et l'a regardé par-dessus l'épaule. Il s'est figé sur place », ajoute-t-elle.

Un regard aide aussi à sauver la face. En jouant, les chiens se roulent souvent sur le dos, ce qui est en principe une position de soumission, mais ils continuent à fixer celui qui se tient au-dessus d'eux afin de lui montrer qu'ils ne sont pas lâches.

Entre les gens et les chiens, le contact visuel ne représente ni une menace ni un défi. Les chiens sont habitués à ce que nous les regardions directement et ils savent que, normalement, nous avons de bonnes intentions. Quand les chiens ont les yeux rivés sur quelqu'un, c'est simplement pour faire le fou ou l'inviter à jouer. Les chiens clignent également des yeux pour communiquer. Quand ils se rencontrent pour la première fois, le clignement est quelquefois très prononcé. Cela ne veut pas dire qu'ils sont distraits par autre chose ou qu'ils ne sont pas intéressés. C'est leur façon de dire qu'il n'y a pas de problème, et aucune menace.

La désobéissance intelligente

HISTOIRE DE CHIEN

Les chiens d'assistance sont dressés pour aider les malvoyants dans toutes sortes de circonstances : ils les accompagnent dans les transports publics, les aident à se frayer un chemin dans la foule. Mais ce qui est important, parfois, c'est ce que les chiens ne font pas.

John Hughes, professeur d'histoire, a été sauvé par son chien d'assistance, Ronny, alors qu'ils traversaient un chantier de construction. Le chien s'est arrêté brusquement et a refusé de repartir, malgré les ordres de plus en plus exaspérés que lui donnait Jim. « Il ne voulait absolument pas bouger, » explique-t-il. C'était aussi clair que s'il disait : « Je ne t'obéirai pas. »

Finalement, Jim avança prudemment un pied et ne rencontra que le vide. Il commença à comprendre pourquoi Ronny refusait de lui obéir : devant eux s'ouvrait un immense trou. Le bon sens de Ronny lui avait évité d'être gravement blessé. On appelle ce genre d'attitude : « désobéissance intelligente », et, comme Jim peut l'attester, c'est la chose la plus intelligente qu'un chien puisse faire.

LES YEUX ET LES ÉMOTIONS

Il est possible de percevoir les pensées et les émotions des chiens en observant leur regard. C'est par là qu'ils expriment l'amour et la satisfaction, l'anxiété, et la colère. Voici un guide des expressions les plus fréquentes :

▶ Contact visuel direct

Les chiens qui vous jettent un regard vif et perçant se sentent heureux et confiants. La peau qui entoure leurs yeux est lisse, mais elle peut présenter un petit creux aux coins extérieurs. Les chiens regardent de cette manière quand ils disent bonjour à quelqu'un ou qu'ils lui demandent de jouer, ou encore juste après que leur maître leur a donné quelque chose dont ils avaient très envie, comme par exemple la permission d'aller se blottir sur le lit.

▼ Regard dur

Les chiens qui viennent de voir quelque chose méritant une attention soutenue, un chat intrus, par exemple, ont un regard dur. Quand ils se décident à agir, ils baissent légèrement la tête et jettent un coup d'œil en biais. Les loups ont la même expression en guettant le moment de faiblesse de leur proie. Les bergers appellent cela « l'œil », qu'ils apprécient particulièrement chez leurs chiens. Les chiens font de même quand ils se sentent sur la défensive.

Ils lèvent les sourcils, ce qui donne des petites rides à la peau au-dessus des yeux. Si d'autres émotions s'ajoutent à ce sentiment, leur front se plisse, et s'ils sont agressifs tout en ayant un peu peur, les plis se creusent profondément. Cette expression, que prennent certains chiens en voyant un aspirateur, exprime un doute profond : « Je ne sais pas si tu es un ami ou un ennemi. »

◀ Regard détourné

En évitant les contacts visuels ou en regardant au loin, les chiens tentent d'établir des rapports pacifiques, selon Steve Aiken. C'est ainsi que les chiens timides ou soumis font passer ce message « Je ne veux pas causer de problèmes. Je sais que c'est toi le chef ». Les chiens ont ce genre de regard quand ils rencontrent des congénères plus forts qu'eux, ou quand ils sentent qu'ils ont fait quelque chose qui déplaît à leur maître.

Regard oblique

Il arrive qu'un regard fixe ne soit pas un signe d'agressivité. Par exemple, un chien qui a le regard fixe et les yeux presque complètement fermés pour que ça ne se voie pas, a une idée en tête. Étendu sur le sol, il paraît somnoler, mais il peut par exemple épier le chat, auquel il veut faire croire qu'il dort. Et dès que le chat a le dos tourné, il bondit vers lui avec l'espoir de l'entraîner dans un jeu.

◀ Regard latéral

Les chiens regardent du coin de l'œil quand ils sont craintifs ou quand ils veulent jouer. C'est une manière polie d'exprimer leur intérêt sans être trop insistants.

LES YEUX ET LES ÉMOTIONS – Suite

◀ Yeux grands ouverts

C'est un signe d'étonnement et de surprise, et parfois de peur. En entendant un bruit inattendu, le chien bondit sur ses pattes, se tourne vers l'endroit d'où provient le bruit et regarde, les yeux grands ouverts. Les chiens très effrayés peuvent ouvrir les yeux si grands que le blanc devient visible.

Regard vide

Un regard vide n'a pas beaucoup d'autre signification que l'ennui. Si un chien réveillé a les yeux ouverts, et que personne n'est à la maison, il se sent submergé par une espèce de torpeur provoquée par l'ennui. C'est ce qui se produit quand un chien est obligé de se contrôler, notamment quand son maître lui ordonne de s'asseoir et d'attendre qu'il ait fini de parler au voisin. Il obéit, mais son regard vide exprime son ennui avec éloquence.

▶ Yeux à demi-fermés

Les chiens heureux et détendus gardent les yeux à demi-fermés. C'est ce qu'ils font quand leur maître leur gratte le ventre ou les caresse longuement. Ils montrent ainsi une véritable béatitude, qu'il est impossible de ne pas comprendre.

CHAPITRE QUATORZE

LES OREILLES

Les chiens ne se servent pas de leurs oreilles uniquement pour écouter. Mobiles et expressives, elles signalent des émotions aux humains et aux autres membres de l'espèce canine.

Les chiens ont une excellente ouïe, en partie parce que leurs oreilles sont extraordinairement mobiles. Articulées par une quinzaine de muscles, elles peuvent pivoter, remuer, se redresser et retomber en arrière. Tous ces mouvements permettent aux chiens de détecter les sons faibles et de repérer leur direction. En même temps, ils transmettent leurs humeurs et leurs intentions, de la même façon que nos différents gestes et expressions font comprendre aux autres ce que nous éprouvons.

D'après Jacques Schultz, il n'est pas possible d'évaluer les sentiments d'un chien uniquement aux mouvements de ses oreilles, pas plus qu'on ne peut dire ce que pense quelqu'un en se contentant d'observer son regard. Il est indispensable d'observer les oreilles en même temps que d'autres aspects du langage corporel, comme la position de la queue, ou l'attitude générale du corps, ce qui est particulièrement important quand vous êtes en face de chiens qui ont des oreilles assez dépourvues d'expression, qu'elles soient taillées ou très longues. « Les chiens aux oreilles taillées ont une capacité limitée en ce qui concerne les signes qu'ils peuvent communiquer », dit Jacques Schultz. « On leur a donné intentionnellement cette apparence pour qu'ils aient l'air cruels et stoïques. Ainsi, ils ne donnent pas l'impression qu'ils vont montrer leur souffrance ou reculer dans une bagarre ».

LES OREILLES TAILLÉES EN POINTE

Traditionnellement, les oreilles des chiens de race tels les Dobermans, les Boxers, les Danois (ci-dessous) et les Schnauzers, sont taillées. Ce sont des races aux oreilles pendantes ou repliées auxquelles la taille donne une apparence bien droite. Naturellement doux et placides, ces chiens paraissent alors tendus et agressifs, ce qui peut changer la perception qu'en ont les gens et les autres chiens. « Beaucoup de chiens aux oreilles taillées envoient sans le vouloir des messages erronés aux autres chiens, dit Caroline Coile. Ils ne peuvent pas exprimer un grand éventail d'émotions car ils paraissent perpétuellement agressifs et dominants ».

Toutes les positions des oreilles d'un chien doivent être évaluées en fonction de la manière dont il les tient quand il est détendu, dit Stanley Coren, professeur de psychologie animale à l'université, auteur d'un livre sur l'intelligence des chiens. « Il est difficile de comprendre les chiens dont les oreilles ont été coupées très court », ajoute-t-il.

Certaines races ont plus de facilités à exprimer des émotions grâce à la forme de leurs oreilles. Les Bergers allemands, par exemple, ont les oreilles droites et triangulaires qui les font paraître attentifs et toujours en alerte, même quand ils regardent autour d'eux avec désinvolture ou qu'ils rêvent à leur repas. Quand ils sont vraiment concentrés et vigilants, ils redressent encore plus les oreilles.

Cependant, si un Basset peut être aussi attentif qu'un Berger allemand, il ne semble pas l'être avec autant d'intensité. C'est que ses lourdes oreilles tombantes ne sont pas prévues pour cela, tout simplement.

Quand vous observez un chien pour comprendre ce qu'expriment ses oreilles, vous devez prendre leur forme en considération. Vous devez aussi le regarder de près pour interpréter correctement cet aspect de son langage corporel. Certains messages sont parfois très subtils, et des positions qui semblent a priori identiques peu-

PARTICULARITÉ DE LA RACE

Certaines races à poil long, dont les Cockers, les Caniches, les Schnauzers et les Lhassa apsos, ont des poils qui poussent dans les oreilles. Le mélange de poils et de cérumen provoque parfois un bouchon quasi inexpugnable qui bloque le canal de l'oreille. Les oreilles pendantes sont aussi sujettes aux problèmes sanitaires car elles ne laissent pas passer assez d'air : l'humidité s'installe à l'intérieur de l'oreille et favorise la croissance de champignons et de bactéries. Les oreilles pendantes ont aussi tendance à récolter des graines d'herbes. C'est un problème récurrent chez les Cockers, qui ont parfois besoin d'une intervention chirurgicale pour enlever les graines. Les chiens aux oreilles tombantes qui aiment jouer dans l'eau, comme les Labradors, les Golden Retrievers, les Chesapeake Bay Retrievers et les Setters irlandais ont les oreilles très vulnérables, surtout si le canal n'est pas régulièrement nettoyé et séché. Les races aux oreilles pointues ont d'autres problèmes : leurs oreilles semblent attirer les insectes, elles sont sujettes aux coups de soleil et elles risquent d'avoir des hématomes auriculaires, sorte d'ampoules pleines de sang provoquant l'équivalence canine des « oreilles en chou-fleur ».

Oreilles papillon, chien chinois à crête.

Oreilles à moitié redressées, Fox Terrier à poil dur.

vent avoir des significations très différentes, affirme Caroline Coile.

Juger les chiens à leurs oreilles

Même si vous ne savez pas déchiffrer le langage des oreilles, leur forme et leur position peuvent influencer votre perception de la personnalité et du tempérament d'un chien. Les chiens aux oreilles droites, comme les Corgis et les Malamutes d'Alaska, semblent alertes, intelligents et sûrs d'eux. Ceux qui ont les oreilles à moitié dressées, tels les Colleys, les Bergers Shetland, et les Fox Terriers, paraissent alertes eux aussi, mais un peu plus amicaux que les premiers ; et les chiens aux oreilles tombantes, comme les Bassets, les Beagles, les Afghans et les Labradors, ont un air très amical et placide. On est naturellement attirés par eux à cause de leurs longues oreilles de chiots qui leur donnent cet aspect docile si attirant. Il est regrettable que le style des oreilles projettent des messages trompeurs, du moins aux yeux des humains. Les Bassets, par exemple, ont normalement des dispositions sociables, enjouées, mais leurs oreilles tombantes leur donnent un air triste. Les Cockers, pour la même raison, paraissent très doux, bien qu'en réalité ils soient assez tendus et nerveux. Les Huskies ont les oreilles droites et triangulaires qui, associées à un physique de loup, ne témoignent pas de leur nature amicale, souvent docile.

LE BON ??? TRUC

Pourquoi certains chiens ont-ils les oreilles tombantes ?

Les êtres humains ont tous les oreilles de la même forme, et de dimensions pratiquement identiques, mais les chiens présentent un nombre impressionnant de types d'oreilles, depuis celles du Samoyède, au contour net et pointu, jusqu'à celles des Limiers, qui retombent et se balancent. Mais il n'en fut pas toujours ainsi. Les chiens descendent des loups, et les loups n'ont pas les oreilles tombantes. Alors, pourquoi certaines races ont-elles les oreilles pendantes ?

La réponse se trouve dans la façon de sélectionner et d'élever les différentes races. Les chiens courants, comme les Beagles et les Limiers, ont été sélectionnés uniquement pour suivre les traces par l'odorat, et leurs longues oreilles les aident à attirer vers le sol les courants d'air qui font bouger les molécules odorantes, explique Anne Legge, éleveuse de Limiers champions à Winchester.

Une autre raison de faire se reproduire des chiens aux oreilles tombantes est que cet attribut leur donne un air soumis et docile, ce qui plaît aux gens. « Les longues oreilles des chiens ont le même effet que les cheveux des humains : elles mettent leur tête en valeur », dit Jacques Schultz. « Ces chiens ont l'air plus doux, ils paraissent plus près de nous ».

Oreilles tombantes, Sloughi.

Oreilles courbées, Whippet.

Oreilles pointues, Malamute d'Alaska.

POSITIONS DES OREILLES

Bien que leurs oreilles présentent un éventail stupéfiant de formes et de dimensions, tous les chiens les remuent de la même façon pour exprimer ce qu'ils pensent et éprouvent. En reliant les mouvements de leurs oreilles aux autres signes de leur langage corporel, vous obtenez une image très claire de leur état d'esprit.

▶ Neutre

Tous les chiens, que leurs oreilles soient grandes ou petites, pointues ou tombantes, ont une position d'oreilles neutre qui indique qu'ils sont détendus et qu'ils ont l'esprit plutôt vacant. La peau du museau est lisse car ils ne font aucun effort pour bouger leurs muscles. Les chiens heureux mettent généralement leurs oreilles en position neutre.

◀ Redressée

Les chiens stimulés par un bruit ou par la vue de quelque chose redressent les oreilles en les orientant vers ce qui les intéresse. Les chiens qui se sentent agressifs lèvent les oreilles également. Cela est plus facile à voir chez ceux qui ont les oreilles pointues, comme les Bergers allemands. Les chiens aux oreilles repliées ou tombantes tels les Limiers ou les Labradors ne peuvent pas les redresser autant, aussi est-il plus difficile de déceler leurs réactions. Mais il y a un indice à chercher, ce sont les creux formés autour de la base de l'oreille, qui indiquent que les muscles travaillent. « Observez le sommet des oreilles tombantes d'un chien », conseille John Hamil, vétérinaire et dresseur de Limiers ». Les chiens aux oreilles tombantes les remontent vers le sommet de la tête quand ils sont excités ou intéressés par quelque chose.

C'est le degré de tension de ses oreilles qui dévoile la force des sentiments d'un chien. Il y a plus de tension dans celles d'un chien agressif que dans celles d'un chien alerte et joueur.

◀ Couchée en arrière

Quand un chien a le front et les muscles du crâne tendus, et les oreilles basses ramenées en arrière, il se sent probablement effrayé, anxieux, ou soumis. Plus ses sentiments sont intenses, plus la position de ses oreilles est poussée à l'extrême. Les chiens adoptent aussi cette position d'oreilles quand ils se demandent quelle va être la suite des événements, ou encore quand ils jouent à se bagarrer entre eux. En couchant les oreilles en arrière, ils semblent dire : « Ce n'est qu'un jeu, je n'ai pas l'intention de te faire du mal. »

▶ Molle

Les oreilles qui retombent comme du linge mouillé envoient le message suivant : « je m'ennuie à mourir, il ne se passe rien ici ! » Les chiens aux oreilles pointues ont du mal à les faire tomber complètement, mais ils peuvent les laisser s'affaisser un peu sur le côté. Ceux qui ont des oreilles pendantes vont encore trouver le moyen de les allonger.

◀ Positions multiples

Les chiens ont parfois des avis partagés, ce qui se voit dans la façon dont ils tiennent leurs oreilles. Il n'est pas rare de leur voir une oreille redressée tandis que l'autre est partiellement repoussée en arrière, ou l'une des deux repliée alors que l'autre est aplatie contre le crâne. Dans certains cas, les oreilles changent de position en même temps que les émotions du chien. Cela se produit souvent quand une personne que le chien ne connaît pas arrive à la maison. Il ne sait pas trop s'il doit être content ou nerveux, et ses oreilles reflètent son hésitation.

CHAPITRE QUINZE

LA QUEUE

La queue est l'une des parties les plus expressives du chien.
Le bonheur, l'agressivité, le stress, et toutes les émotions
intermédiaires passent par elle.

Majestueux panache, enchevêtrement hirsute, infatigable petit fouet ou moignon rotatif, la queue d'un chien s'agite souvent, communique toujours. Sa façon de remuer nous renseigne abondamment sur ce que ressent le chien, et les messages sont souvent plus complexes que « chouette, c'est l'heure du repas ». Selon leur façon d'agiter la queue, les chiens expriment de la nervosité, de la timidité, de la joie, ou de l'agressivité. Quand vous saurez ce que vous devez chercher, vous comprendrez ce qu'ils ressentent et parfois ce qu'ils ont l'intention de faire dans l'ins-

INTERVENTION CHIRURGICALE INUTILE

Les Rottweilers, les Dobermans et les Boxers (à droite) sont connus pour leur petit bout de queue arrogant, s'agitant d'avant en arrière comme un métronome. Bien qu'on en voie fréquemment, ces queues sont artificiellement courtes, à cause des standards de la race et d'une technique d'écourtage. Les différents clubs canins nationaux sont responsables de la définition de l'« idéal » de beauté de chaque race. Cette apparence est principalement atteinte par la sélection, mais pour certaines races, la queue naturelle ne correspond pas aux standards et elle subit l'opération traditionnelle : elle est écourtée, ou coupée court, quelques jours après la naissance. Bien que cette pratique soit courante et que la plupart des vétérinaires n'y voient aucun mal, elle a une incidence réelle sur la capacité du chien à communiquer, selon Barbara Simpson, vétérinaire spécialiste du comportement. « Ils n'ont plus autant de moyens à leur disposition pour exprimer ce qu'ils ressentent, mais si les autres chiens sont bien éduqués, ils peuvent recueillir assez d'informations grâce aux autres signes envoyés par les chiens dont la queue a été coupée ».

PARTICULARITÉ DE LA RACE

La plupart des chiens ont la queue de la même couleur que le corps. Mais certains d'entre eux, dont les Beagles, les Bassets et les Terriers tibétains, l'ont d'une autre couleur, surtout le bout. Ils peuvent s'en servir comme d'un drapeau qu'ils agitent pour attirer l'attention, et signaler plus facilement leurs intentions aux autres chiens.

tant qui suit. Quand les chiens sont seuls, ils n'agitent pas la queue, même s'ils passent un moment formidable à faire un trou dans le jardin ou à aboyer après les oiseaux qui leur passent au-dessus de la tête. La raison en est que la queue sert surtout à communiquer en société, tout comme les gens échangent des potins aux cocktails. Dès que le chien se trouve près d'autres chiens ou près d'humains, sa queue entre en action.

La vitesse et la vigueur avec laquelle elle s'agite dépendent de la race et de la personnalité du chien. Certains d'entre eux, tels les Épagneuls cavalier King Charles, ont tendance à la remuer frénétiquement à la moindre provocation. D'autres races, comme les Rottweilers, sont loin de telles démonstrations.

Quelle que soit la race, un léger battement du bout de la queue est considéré comme un signe informel de bienvenue. Plus les chiens sont heureux et excités, plus ils remuent la queue vigoureusement. Quand ils la gardent raide et immobile, c'est signe qu'ils se sentent sur la défensive, ou qu'ils doivent protéger, ou agresser.

« S'il y a quelque chose que les chiens n'ont pas besoin d'apprendre, c'est bien comment agiter la queue », écrit Marjorie Garber. « Une queue fré-

tillante est le signe spontané que le chien reconnaît quelqu'un et qu'il est joyeux, et le maître du chien lui répond à sa manière, dans le même sens. Car le chien porte son cœur sur la queue ».

À chaque queue de chien son histoire

Tous les chiens ne sont pas des adeptes de la communication par la queue. À l'instar des humains qui sont physiquement plus ou moins souples, il y en a qui ne parviennent pas à s'exprimer très bien de cette façon-là. Ceci a moins à voir avec leur habileté qu'avec la génétique : selon la race, la queue est plus ou moins mobile. Certaines races ont la queue attachée plus haut sur la croupe. Peu importent les efforts que les chiens fournissent pour communiquer, leur queue refuse de coopérer.

Très bouclée, Terrier du Congo.

Terrier blanc de West Highland.

Cela peut être un véritable problème pour les chiens comme les Carlins, les Bouledogues français, et les Terriers du Congo, dont la queue est petite et très bouclée. Ils se rattrapent avec d'autres formes de langage corporel quand ils ont besoin de s'exprimer, dit Shirley Thomas, éleveuse de Carlins. Quand ils sont heureux, ils tortillent le corps et agitent la queue latéralement. « Ils se servent aussi beaucoup de leur tête : ils plissent le front quand

Haute et raide, Airedale.

*Courte et érigée,
Terrier blanc de
West Highland.*

*Haute
et raide,
Airedale.*

*Entre les pattes,
Lévrier.*

ils sont curieux, et ils sont capables de mettre leurs oreilles dans plusieurs positions », ajoute-t-elle.

Les Bergers australiens naissent avec la queue très courte, parfois même sans queue. Les Boxers, les Schnauzers, les Rottweilers et les Dobermans ont traditionnellement la queue écourtée ou coupée très court. Ces chiens utilisent leur moignon de queue autant qu'ils le peuvent, mais leurs possibilités de s'exprimer s'en trouvent très réduites.

D'un autre côté, il y a des queues faites pour communiquer car elles sont très voyantes. Les chiens à la queue longue et touffue, comme les Bergers allemands, les Samoyèdes, les Huskies de Sibérie, n'ont aucun problème pour exprimer leurs émotions. Non seulement leur queue bouge librement, mais cette luxuriante touffe de poils peut se hérisser à tout moment, ce qui donne aux chiens du charisme et un air d'autorité.

Les Terriers écossais et les Terriers blancs de West Highland se placent entre ces deux extrêmes. Alors que leur queue, au poil ras, est très courte, elle est néanmoins très expressive car elle rattrape sa petite dimension par sa mobilité et sa position érigée, explique Mary Warzecha, journaliste spécialisée.

Si une queue touffue est un meilleur moyen de communication parce qu'elle donne de l'emphase aux mouvements naturels du chien, elle peut aussi devenir un problème si elle est très courte, comme celle des Bobtails. Leur robe épaisse et drue peut recouvrir leur queue comme une couverture. Quel que soit l'effort qu'ils font pour la bouger, leurs mouvements demeurent invisibles. Pour compenser, ces chiens remuent tout l'arrière-train.

Juger les chiens à leur queue

Les chiens sont rarement distants et ils n'ont jamais de préjugés. Un Berger allemand ne va pas juger un Labrador, et un Caniche est parfaitement heureux quand il joue avec un Golden Retriever. En revanche, les gens sont toujours prompts à porter des jugements, non seulement entre eux mais aussi sur les chiens. Et dans une large mesure, ces jugements sont basés sur la queue de l'animal.

Considérons les Terriers gallois. Ils ont une queue toujours en action, alerte, qui part très haut sur la croupe, ce qui fait rire les gens. Les grands Danois, eux, ont la queue attachée plus bas sur la croupe. Aux yeux des humains, cela les fait paraître un peu maussades ou distants. Aussi heureux et amicaux soient-ils, leur queue attachée bas ne paraît pas aussi accueillante que celle d'autres chiens, qui voltige plus haut.

Chaque race porte sa queue à sa façon. Les Fox Terriers et les Airedales, par exemple, la portent, par nature, haut et plutôt raide, ce qui peut les faire paraître très sûrs d'eux, voire agressifs, non seulement à nos yeux mais à ceux des autres chiens. Les Setters hongrois à poil court et les Golden Retrievers portent leur queue de façon plus décontractée, ce qui les fait paraître tristes et inoffensifs.

Les Lévriers, les Whippets, les Barzoïs et les chiens de chasse Afghans la portent généralement entre les pattes. Les gens les croient souvent timides, apeurés ou malheureux, ce qui est faux. C'est leur nature, tout simplement.

La queue et la communication par l'odeur

La queue des chiens a encore un rôle vital dans la communication : chaque fois qu'un chien la remue, elle agit comme un éventail, et envoie son « eau de chien » naturelle autour de lui, comme une femme marchant dans la foule laisse flotter son eau de toilette.

Les chiens utilisent beaucoup plus intensément leur odorat que nous ne le faisons. Il y a une odeur qui capte toujours leur attention, c'est celle des glandes anales, deux petits sacs, sous la queue, qui contiennent un liquide parfumé aussi personnel chez le chien que les empreintes digitales chez l'homme. En flairant cette odeur, les chiens peuvent déterminer plusieurs faits intéressants, tels que le sexe, l'âge, le statut de son congénère,

LE BON ?? TRUC

Pourquoi les chiens chassent-ils leur queue ?

Les chiens semblent s'amuser beaucoup quand ils tournent en rond pour essayer d'attraper leur queue. Mais parfois, cela n'a rien d'un jeu. « Il arrive qu'ils aient une irritation sur le dos, une démangeaison à l'arrière-train, ou qu'ils soient allergiques à un insecte », déclare Dick Schumacher, vétérinaire.

Si une visite chez le vétérinaire ne révèle aucun problème, et que votre chien continue de chasser sa queue, c'est qu'il le fait vraiment pour s'amuser. « Quand ils voient leur queue, certains chiens veulent tout savoir à son sujet », affirme Steve Aiden.

Bien que les chiens à queue longue aient tendance à la chasser plus souvent que les chiens à queue très courte, ce n'est pas une activité très fréquente. « Et il y a des chiens qui ne s'y intéressent absolument jamais », conclut le docteur Schumacher.

explique Deena Case-Pall, psychologue et spécialiste du comportement animal.

« Pour le chien, c'est exactement comme si quelqu'un découvrait des renseignements pertinents en lisant le permis de conduire d'un conducteur », dit-elle. À partir des détails qu'ils glanent, les chiens vont être respectueux, dédaigneux, lascifs ou indifférents.

Chaque fois qu'un chien remue la queue, les muscles entourant l'anus se contractent et

En remuant la queue, le chien disperse son odeur, qui est unique, ce qui permet aux autres d'apprendre beaucoup de choses sur lui.

Quand les Lévriers courent, leur queue longue et fine leur sert de gouvernail pour les aider à tourner rapidement.

font pression sur les glandes, qui libèrent l'odeur. Un chien dominant qui redresse la queue exhale beaucoup plus d'odeur qu'un chien soumis, qui a la queue basse. Et naturellement, le fait de remuer la queue aide l'odeur à se disperser.

Une des raisons pour lesquelles un chien nerveux, effrayé ou soumis garde la queue entre les pattes est d'empêcher les autres chiens de le renifler. Il tente ainsi de se fondre dans l'environnement et de ne pas attirer l'attention sur lui.

La queue en action

Quand ils ne se servent pas de leur queue pour communiquer, les chiens lui font faire beaucoup d'autres choses utiles. En premier lieu, la queue joue un rôle essentiel dans l'équilibre du chien. Certaines races, telles que les Afghans, les chiens-loups irlandais et les Lévriers, sont élevées pour chasser des proies qui se déplacent très rapidement. Ils ont la queue fine et très longue, proportionnellement à leur corps. Ils peuvent courir très vite, et ils utilisent leur queue comme un contrepoids quand ils tournent. Elle leur permet aussi de tourner avec agilité et rapidité pour réagir aux mouvements de leurs proies, dit Lou Gerrero, éleveur de

champions Afghans. « Combinée à leur croupe inclinée, leur longue queue effilée et attachée bas produit un puissant effet de gouvernail ».

Les chiens se servent aussi de leur queue comme d'un gouvernail quand ils nagent. Les Chesapeake Bay Retrievers et les Labradors ont une queue épaisse et forte qui leur permet de se mouvoir plus facilement dans l'eau. Également très flexible, elle les aide à faire des demi-tours rapides dans l'élément aquatique, explique Janet Horn, éleveuse de champions Retrievers Chesapeake Bay.

Chez d'autres chiens, la queue est une forme très pratique d'isolation. Les races scandinaves, comme les Huskies sibériens, les Samoyèdes, les Malamutes d'Alaska et les Keeshonds ont une queue touffue ou en panache, couverte de longs poils épais. Quand ils sont allongés, ils peuvent se cacher la tête sous la queue pour se protéger du froid, explique Vicky Jones, éleveuse de Malamutes d'Alaska.

« Ils utilisent aussi leur queue comme un gouvernail pour se déplacer un peu plus vite quand ils tirent un traîneau sur la glace », ajoute-t-elle.

POSITIONS DE LA QUEUE ET MOUVEMENTS

La façon dont un chien remue la queue est très éloquente. Mais ce n'est qu'une partie de son répertoire, sa position étant aussi très significative. En observant à la fois la position et le mouvement de la queue, il est possible d'avoir un bon aperçu de ce que le chien veut exprimer.

▶ Mouvement latéral

Souvent, les chiens remuent la queue très largement quand ils jouent ou qu'ils attendent un bon repas. Mais ils font aussi ce mouvement quand ils sautent ou qu'ils se préparent à attaquer, dit Petra Horn, dresseur à Mira Mesa. La seule façon de comprendre la différence est de chercher d'autres indices, la façon dont ils se tiennent, notamment, ce qui permet de connaître leurs intentions.

◀ Haute et remuante

Les chiens sont toujours de bonne humeur quand ils ont la queue haute et qu'ils la remuent d'avant en arrière. La vitesse du mouvement augmente de façon spectaculaire quand ils obtiennent la réponse attendue de celui ou celle qu'ils voulaient entraîner dans leur jeu.

POSITION DE LA QUEUE ET MOUVEMENTS — Suite

◀ Horizontale

Il est clair qu'un chien éprouve un grand intérêt pour quelque chose quand sa queue est horizontale, signe qui n'est évident, bien sûr, que chez les chiens à queue longue. Ceux qui ont la queue écourtée envoient le même message en la redressant un peu plus haut que d'habitude, explique Kathy Marmack, qui supervise le dressage des animaux au zoo de San Diego.

▶ Serrée

Les chiens soumis, anxieux, effrayés, serrent invariablement la queue entre les pattes, et plus ils la serrent, plus le sentiment qu'ils expriment est intense. Un chien très effrayé peut la serrer si fort qu'elle atteint parfois son estomac. Cependant, même dans ce cas, il en remue légèrement le bout pour évacuer son stress. Mais la queue serrée entre les pattes n'est pas toujours un signe négatif. Par exemple, c'est une attitude normale chez les chiots qui souhaitent la bienvenue à des chiens adultes. Ils expriment ainsi leur soumission et leur respect. Quand l'adulte a accepté ce geste accueillant, la queue du chiot se déploie et commence à s'agiter à nouveau.

▶ Haute et rigide

« Quand un chien qui avait la queue en position horizontale la relève et la raidit, vous pouvez être sûr qu'une situation intéressante s'est transformée en défi ou en menace », dit Janice DeMello. En général, les chiens qui tentent d'imposer leur autorité lèvent la queue légèrement au-dessus de la position horizontale. Pour paraître plus forts et plus dominants, ils la redressent encore plus haut et la remuent doucement d'avant en arrière. On peut dire qu'un chien dont la queue est presque rigide est assez contrarié, ou qu'il est en colère. Si sa colère se transforme en agressivité, la queue se relève encore, puis elle reste

absolument immobile tout en se hérissant au bout. C'est par ce moyen que les chiens paraissent plus gros qu'ils ne sont réellement. Sur le cou et le dos, les poils se redressent aussi dans ces cas-là.

▶ Basse et remuant faiblement

Alors que les chiens qui affrontent le danger ou qui connaissent d'autres « puissantes » émotions vont relever la queue, ceux qui se sentent un peu déprimés la laissent retomber au-dessous de la position horizontale et la remuent faiblement. Dans ce cas, le chien est vaguement inquiet, insécurisé. Ou alors il se sent un peu malade.

93

CHAPITRE SEIZE

COMMENT ÉVITER LES ERREURS

Les chiens se trompent souvent sur le sens de notre langage corporel
ou le ton de notre voix. Comprendre à quoi ils réagissent nous permet
d'envoyer le bon message, dans le bon sens.

Bien que les chiens reconnaissent et comprennent quelques mots et certains signes de notre langage corporel, notre comportement et nos moyens de communication leur paraissent la plupart du temps étrangers. Ils essaient de comprendre ce qu'ils voient et entendent en traduisant notre comportement en termes canins, et c'est là que la confusion s'installe.

Par exemple, nous bougeons beaucoup les mains quand nous nous enthousiasmons, ce que les chiens nous voient faire des centaines de fois. D'après notre énergie et notre expression, ils voient que nous sommes heureux, et cependant, ils ne peuvent pas s'empêcher de nous soupçonner d'être en colère parce que, dans le monde animal, les gestes exubérants sont habituellement signes d'agressivité ou de danger plutôt que de plaisir et de bonheur.

Il y a aussi confusion quand nous ordonnons à un chien de faire quelque chose et qu'il ne le fait pas : vous lui ordonnez en criant de cesser d'aboyer, et il continue. Ou bien vous lui dites « au pied », et il fonce droit devant lui. Il semble souvent que plus les gens insistent, et plus leur chien se comporte mal, ce qui provoque un sentiment aigu de frustration. « Les gens croient que leur chien est têtu, mais un chien têtu, ça n'existe pas, c'est simplement qu'il a reçu des

Les chiens réagissent mieux si nos messages corporels et parlés sont cohérents. Cette chienne Caniche naine n'obéit pas à sa maîtresse, qui lui ordonne de revenir vers elle, parce qu'elle prend son exubérance pour de la colère.

informations déroutantes », affirme Chuck Tompkins, spécialiste du comportement animal.

Quand on considère que les chiens et les hommes sont deux espèces différentes, avec des moyens de communication et des façons d'envisager le monde n'ayant aucun point commun, il est logique qu'un certain nombre d'erreurs se produisent. Les chiens n'ont pas la capacité de comprendre les êtres humains, mais nous, nous pouvons les comprendre. Une fois que vous avez saisi la façon dont les chiens vous perçoivent – le ton de votre voix, votre langage corporel et vos différents moyens d'expression – les barrières qui empêchent la communication sont plus faciles à renverser.

Les barrières vocales

La voix humaine peut rendre les chiens perplexes. Ils sont familiarisés avec le volume et les variations de celle de leur maître, mais celles qu'ils ne connaissent pas peuvent être sources d'erreur. Les chiens ne prêtent pas une grande attention aux paroles, mais ils sont sensibles au ton de la voix, au rire, et ils sont très doués pour comparer la voix et le langage corporel. C'est ainsi qu'une personne peut dire une chose et que son chien peut en comprendre une autre, tout à fait différente.

Le ton de la voix. Les chiens sont très sensibles au ton de la voix. Dans leur univers, les chiens jeunes ou dociles ont un aboiement ou un jappement aigu, alors que les chiens plus dominants ont une grosse voix.

Il n'est pas rare que les chiens soient un peu nerveux avec les hommes qui ont la voix grave car ils l'associent à l'autorité, ou dans certains cas, aux réprimandes que leur faisait leur mère quand ils étaient petits. Naturellement, les hommes ne comprennent pas cela, et pas davantage pourquoi ils obtiennent des réactions négatives.

Il n'est pas nécessaire de déguiser sa voix pour communiquer avec les chiens, mais le fait de parler sur un ton un peu plus aigu peut aider. Une voix plus perchée est moins menaçante et plus enjouée à l'oreille d'un chien. Les dresseurs recommandent souvent d'adopter un ton de voix légèrement aigu, et énergique, avec tous les chiens, et pas seulement avec ceux que les voix graves énervent, car cela les aide à répondre avec plus d'enthousiasme.

Tandis que ce sont les voix graves qui provoquent le plus de confusion dans l'esprit des chiens, les voix perchées ont aussi leurs problèmes, en particulier quand elles servent à la discipline. Supposons que vous apprenez à votre chien à marcher en laisse et qu'il fonce droit devant lui en zigzaguant devant vous, qu'il fait n'importe quoi, sauf marcher au pied. Si vous le réprimandez d'une voix aiguë – en général, la voix monte quand on est tendu –, votre chien va réagir comme il le ferait avec un jeune chien ou avec un chien subalterne, et il va vous ignorer.

Que votre voix soit naturellement aiguë ou grave, il est conseillé de la baisser d'un cran quand vous en êtes aux reproches. Même si vous n'avez pas l'air en colère, votre ton grave, bourru, rappellera à votre chien la voix de l'autorité et il sera plus sûrement enclin à vous obéir.

Paroles et actions. Étant spécialistes de la lecture du langage corporel sous toutes ses formes, les chiens réalisent tout de suite si le ton de

Ce Caniche nain est très sensible à la voix de son maître. Les hommes à la voix grave obtiennent souvent de meilleurs résultats quand ils élèvent le ton pour féliciter leur chien.

votre voix ne concorde pas avec vos paroles. Cela se produit souvent chez le vétérinaire, quand, inquiet, vous tentez d'apaiser votre chien en lui disant que tout va bien. Le chien, très nerveux, sait pertinemment que ce n'est pas vrai, et vos tentatives de réconfort risquent de produire l'effet inverse. C'est comme si le chien pensait : « La situation doit être drôlement mauvaise s'il (ou elle) se met à mentir comme ça ! »

Les choses s'enveniment avec les chiens qui grondent parce qu'ils sont effrayés. Il est normal de vouloir rassurer un chien qui a peur, mais cela va probablement accroître son inquiétude car il va croire que vos paroles apaisantes le confortent dans sa réaction, selon Moira Cornell, maître-chien. Ce genre de méprise peut être un problème car votre chien ne comprend pas qu'il agit de façon inopportune, explique-t-elle, et elle conseille d'ordonner fermement à votre chien de se taire. Il respectera votre détermination, et la clarté du message lui permettra de se détendre un peu. Il comprendra que vous êtes capable d'affronter la situation et que vous la prenez en mains.

Le rire. Il faut faire des efforts presque surhumains pour s'empêcher de rire devant un chien qui fait des bêtises, ou quand il tente de faire quelque chose sérieusement mais qu'il paraît néanmoins ridicule. Il est important de réprimer son envie de rire dans ces cas-là, car pour eux, le rire est un son joyeux signifiant que nous les approuvons entièrement. Croyant que vous les approuvez en riant, ils feront la même bêtise dans l'avenir pour continuer à obtenir votre approbation.

Les barrières du langage corporel

Quand les chiens veulent en savoir plus sur des congénères, ils se concentrent sur leur posture. De loin, un chien peut percevoir ce que pense un autre chien en regardant la façon dont il se tient et la position de sa queue. Une attitude alerte signifie qu'il est attentif. Quand il se tient tout raide et qu'il remue la queue rythmiquement, cela signifie qu'il est prudent, qu'il reste sur ses gardes.

Les messages de chien à chien sont extrêmement précis car les deux compères parlent le même langage. À l'inverse, les chiens sont en territoire étranger quand ils essaient de déchiffrer le langage corporel humain, ce qui est dû essentiellement au fait que notre corps contredit parfois notre voix ou notre expression.

Quand vous vous occupez d'un chien, il est important d'être conscient de votre langage corporel et de vous assurer qu'il exprime la même chose que votre voix. Il est vraisemblable que votre voix et votre langage corporel sont en contradiction quand vous êtes en colère contre votre chien mais que vous ne voulez pas le lui montrer. Peu importe ce que vous lui dites, dans ces moments-là, car il voit que votre visage, vos bras et vos épaules sont crispés, signe que vous êtes tendu, ce qui le rend perplexe car vous ne lui avez pas envoyé de message précis sur ce que vous éprouvez. Votre voix lui dit peut-être que tout va bien, mais si votre corps exprime le contraire, votre chien ne sait pas à quoi s'en tenir.

L'astuce, c'est de garder la posture la plus détendue possible quand vous communiquez avec votre chien, conseille Moira Cornell. Si vos épaules et vos bras sont raides et votre expression sérieuse, il sent que vous êtes en colère car il fait davantage attention à votre corps qu'à vos paroles.

Barrières mentales

Il est normal que nous interprétions le comportement des chiens en termes humains ; cependant,

JOUER LA COMÉDIE

Dans les films, les chiens paraissent naturels, mais ce que l'on voit sur l'écran représente des heures de dressage. Les scénarios exigent souvent que les chiens aient un comportement contraire à leur nature. C'est au dresseur de s'assurer que le chien comprend exactement ce qu'il est censé faire. Pour former avec succès un chien « de cinéma », les dresseurs doivent obtenir toute son attention, quoi qu'il arrive, dit Mary Kay Snyder, qui a dressé les chiots pour le film *Les 101 Dalmatiens*. La plupart des dresseurs utilisent un cliquet pour que les chiens sachent qu'ils vont avoir une récompense s'ils font leur travail correctement.

« Un chien acteur est conditionné pour être attentif et exécuter les ordres. Ensuite, il espère entendre le cliquet. Quand la scène est terminée, il

est récompensé par une gourmandise », dit Mary Kay Snyder. Comme on voit souvent les chiens en train de courir dans les films, ils doivent apprendre à courir sur un manège. C'est la seule façon de filmer les scènes qui sont tournées en studio. « C'est une activité très fastidieuse, explique Mary Snyder ; je lui apprends à me regarder courir devant lui pour le mettre en condition ».

Les chiens de cinéma doivent aussi apprendre à courir dans une direction puis s'arrêter brusquement et repartir dans l'autre sens. « Nous demandons à quelqu'un d'appeler le chien, puis son dresseur, qui est de l'autre côté, l'appelle à son tour », explique-t-elle.

Il faut souvent trois ou quatre mois pour dresser un chien à tourner des scènes de cinéma. Un aspect vital de la préparation consiste à les emmener à plusieurs endroits avant qu'ils ne posent une patte sur le plateau. « Je veux les accoutumer à entendre des sons variés et à rencontrer des gens différents pour qu'ils ne risquent pas d'être surpris ou de se tromper », précise-t-elle. Cela les aide à affronter des bruits assez forts, et à se comporter calmement avec des personnes inconnues, d'autres animaux comme des poulets ou des cochons, et au milieu du matériel encombrant des studios de cinéma.

Les chiens de cinéma, comme ce Schnauzer nain, sont dressés pour se concentrer intensément sur leurs entraîneurs et pour rester calmes dans toutes sortes de situations inhabituelles.

notre appréciation est rarement très précise. Les chiens ont une vie riche en émotions, mais leurs émotions ne sont pas les mêmes que les nôtres. Il y a des gens qui affirment que leur chien prend un air coupable quand il a fait une bêtise. Mais les chiens n'éprouvent pas de culpabilité, du moins pas de la même façon que nous. En effet, si en rentrant chez vous, vous trouvez le contenu de la poubelle étalé par terre et votre chien recroquevillé dans un coin, vous ne pouvez pas affirmer qu'il sait qu'il a fait quelque chose de travers. Il réagit probablement à l'expression qu'il voit sur votre visage, dont il sait bien qu'elle n'est pas positive. Quant à l'état de la poubelle, il a probablement oublié qu'il en est responsable.

Une confusion plus grande encore peut surgir quand vous commencez à remettre de l'ordre. Vous êtes de méchante humeur, et votre colère

Les Bull-terriers Staffordshire ont souvent une propension à vouloir dominer. Se livrer avec eux à des jeux violents, qu'ils adorent, ne fait que renforcer cette tendance.

augmente quand votre chien, au lieu de paraître navré, se met à farfouiller dans la poubelle à la recherche d'un petit en-cas. Selon Jayme Evans, dresseur, il ne vous manque pas de respect. Pour lui, tout va bien, dans sa tête, et puisqu'il vous voit toucher le contenu de la poubelle, il croit pouvoir participer. Il ne fait que suivre le chef, réaction naturelle de tous les chiens.

Ce qui est important, c'est que votre réaction corresponde toujours à la situation. Votre chien a besoin de pouvoir faire un lien logique entre ce qu'il a fait et votre réponse, s'il arrive à comprendre ce que vous pensez vraiment. Il n'aimera sans doute pas être corrigé, mais du moins verra-t-il là une réaction logique. Mais si vous commencez par le gronder pour fléchir ensuite et vous mettre à le gratter derrière les oreilles avec indulgence, cela va lui paraître inconsistant et illogique, et il sera dérouté et troublé.

Malentendu à propos du représentant de l'autorité. Les chiens aiment savoir qui commande, et la plupart du temps, ils sont très heureux que leur maître ait ce rôle. Mais parfois, les gens transmettent un message erroné qui fait croire à leur chien que ce rôle est devenu le sien. Ce qui peut provoquer toutes sortes de problèmes.

Cette question survient souvent pendant les séances de jeu. Quand les chiens jouent entre eux, l'action est désordonnée. Ils sont rapides, athlétiques, et ils se servent de toutes les parties de leur corps pour prouver qu'ils sont plus costauds que leur adversaire. Le but du jeu est de voir lequel des deux va se dégonfler le premier. C'est pour s'amuser, mais derrière le jeu, il y a une véritable compétition pour contrôler et dominer.

Les mêmes motivations peuvent sous-tendre leurs jeux avec les humains. Les gens qui jouent brutalement avec leur chien, en luttant ou en tirant sur une corde, créent une situation dans laquelle les chiens sentent qu'ils doivent gagner. Ceci n'est en général pas un problème. En effet, que les chiens gagnent ou perdent, ils ont passé un moment superbe. Mais certains étant par nature plus dominants que d'autres, ils ne vont pas accepter de perdre sans essayer de se défendre.

Ce n'est pas une bonne idée de lutter ou de jouer à tirer sur des cordes avec des chiens qui ont tendance à être agressifs, dit Jayme Evans. S'ils perdent, ils peuvent devenir de plus en plus brutaux jusqu'au moment où ils pensent qu'ils vont gagner. Si vous les laissez gagner délibérément, ils vont croire qu'ils ont le dessus. Cela peut créer toutes sortes de problèmes, pas uniquement au cours du jeu, mais aussi pendant les autres moments que vous passez ensemble.

Même avec les chiens qui ne sont pas agressifs, les jeux violents risquent de dégénérer rapidement. Les chiens jouent avec les gens de la même façon qu'entre eux : en faisant semblant de mordre. Mais il ne leur vient pas à l'idée que si leurs congénères sont protégés par leur fourrure et leur peau relâchée, capable de supporter un certain nombre de mordillements, les gens ne le sont pas, et ne peuvent donc pas se livrer à des jeux aussi rudes qu'eux. C'est pourquoi quelqu'un qui s'amuse avec son chien peut, d'une minute à l'autre, passer du plaisir à la douleur et à la colère. Le résultat, c'est que son chien ne comprend pas ce qui se passe.

Les barrières de l'apparence

Les chiens observent les gens bien plus attentivement que nous ne les observons. Quand nos expressions faciales ne correspondent pas aux autres signes que nous émettons, ils sont déroutés. Si vous essayez par exemple d'être sérieux, tout en esquissant un sourire et

La voix enjouée, l'expression contente et la position décontractée de cette femme envoient le même message à son Berger belge. Il est sûr qu'elle est heureuse d'être avec lui.

en le regardant d'un air amusé, il ne va pas savoir s'il doit se fier à la sévérité de votre voix ou à votre air content.

De la même façon, si vous prenez une voix grave pour dire à votre chien de rester tranquille, mais que dans la minute qui suit vous lui faites un clin d'œil, il va croire que vous lui donnez la permission de se lever et de se balader.

Mais il est très recommandé que votre visage exprime la joie quand vous voulez le féliciter de vous avoir obéi. Cependant, n'essayez pas de tromper un chien avec des expressions « fausses », ni de mélanger les signes que vous lui donnez. Les chiens ne se sentent en sécurité que lorsqu'ils savent ce que vous ressentez. Les indications multiples les rendent nerveux et incertains.

QUATRIÈME PARTIE

ÉCHECS DE COMMUNICATION

De nombreux problèmes de communication commencent quand le chien ne sait pas très bien qui commande. Afin d'établir l'autorité et d'éviter des défaillances de communication, vous devez utiliser votre langage corporel, vos expressions du visage et votre voix avec efficacité. En même temps, il est indispensable que vous sachiez lire correctement les indications que vous donne votre chien.

CHAPITRE DIX-SEPT

QUI COMMANDE ?

Tous les chiens préfèrent savoir qui est le chef.
En permettant à votre chien de savoir que c'est vous,
vous lui rendrez la vie plus facile, et à vous aussi.

Les parents et les professeurs apprennent aux enfants à partager leurs jouets, à jouer gentiment et, surtout à ne pas être autoritaires. Et si les enfants ne l'apprennent pas de leurs parents, ils constatent vite dans les cours de récréation que les autres n'aiment pas être menés à la baguette.

Les chiens voient les choses différemment. Ils aiment qu'on leur donne des ordres. En fait, les chiens ont besoin d'être commandés, en particulier par les gens avec lesquels ils vivent.

Les chiens sont des animaux de meute, ce qui signifie qu'ils vivaient, à l'état sauvage, dans des sociétés très structurées. Pour survivre, ils s'en remettaient à leur chef. Aujourd'hui, les chiens n'ont pas les mêmes impératifs de survie, mais les vieux instincts perdurent. Ils considèrent la famille à laquelle ils appartiennent comme leur horde, et ils attendent du chef de famille qu'il en soit le leader.

« Les chiens se sentent beaucoup plus en sécurité quand ils savent qui commande », dit Sandy Myers, dresseur. « Leurs meutes sont hiérarchisées, avec un membre à la tête. Si nous n'endossons pas ce rôle, c'est le chien qui le fera ».

La plupart des chiens n'ont pas envie de dominer. Ils préfèrent largement vous laisser diriger la barque. Mais si vous avez la philosophie du « vivre et laisser vivre », ils sont souvent mal à l'aise car ils ne savent pas très bien à qui ils doivent s'en remettre. C'est pourquoi ils interviennent, même si c'est contre leur gré, pour combler ce manque.

Quand un chien tente de devenir le chef de famille, il risque d'y avoir des problèmes. Plutôt que de recevoir des ordres de vous, il va devenir de plus en plus dominant, selon Yody Blass, spécialiste du comportement animal. « Il peut se mettre à grogner, à don-

Il est important de commencer très tôt à apprendre à votre chiot à respecter votre supériorité hiérarchique et vos règles du jeu.

ner des coups de dents, ou même à mordre quand il en ressent l'utilité, » ajoute-t-il.

Une fois qu'un chien a commencé à commander, il risque de répugner à abandonner son tout nouveau pouvoir. Il continuera donc à mordre, à gronder et à vous pousser jusqu'à ce que quelqu'un – vous ou un membre de votre famille – se décide finalement à prendre ce rôle. C'est pourquoi vous devez établir votre autorité, et vous assurer que votre chien a bien compris que c'est vous qui commandez, et pas lui. « Vous devez être un leader bienveillant » dit Robin Kovary, dresseur. « Un bon leader n'abuse jamais. Le pouvoir ne signifie pas qu'il faut être dur ».

Comment diriger votre chien

L'autorité naît d'une communication claire et d'une attitude cohérente. Les chiens ne peuvent pas raisonner, prévoir ce que vous allez faire, ni vous poser des questions quand ils ont un doute, c'est pourquoi il faut absolument leur faire clairement comprendre ce que vous attendez d'eux. Ils n'apprécient pas un chef sans personnalité, aussi avez-vous intérêt à établir quelques règles bien définies, et à vous y tenir. Ils sauront ainsi ce que vous leur demanderez et réagiront mieux. Voici quelques conseils pour devenir et rester le leader en qui votre chien aura la plus grande confiance.

Soyez cohérent. Votre chien est troublé quand il reçoit des messages différents de plusieurs personnes. Pire, s'il voit qu'il y a deux (ou plusieurs) règlements, il peut décider que toute règle venant d'un être humain est un défi qui mérite d'être relevé. « Il est important de développer des lignes directrices raisonnables pour votre chien, puis de vous assurer que tous les membres de la famille sont d'accord », dit Robin Kovary. Par exemple, si vous ne voulez pas qu'il saute sur le canapé ou sur les lits, toute la famille doit

S'il entend régulièrement qu'il ne doit pas sauter sur les gens, ce Kelpie croisé de Labrador apprendra vite à obéir.

s'entendre sur ce point, et cela signifie aussi que vous devez l'empêcher d'accéder aux chaises et à la table.

Il est également nécessaire d'appliquer votre règlement avec cohérence. Si vous chassez votre chien du canapé le lundi et que vous lui permettez d'y aller le mardi, il ne va pas prendre vos interdits au sérieux.

Soyez ferme. « Il ne faut jamais permettre ou encourager un comportement de gosse mal élevé ou d'agressivité chez un chiot », affirme Robin Kovary. C'est adorable, en effet, qu'un chiot vous saisisse la main entre les dents ou vous saute après quand vous jouez avec lui, mais ce comportement sera beaucoup moins attendrissant quand votre chiot aura grandi.

Renforcez sa bonne conduite. Les parents encouragent leurs enfants à faire ce qu'il faut en les récompensant de leur bonne conduite. Les chiens réagissent eux aussi aux félicitations. En fait, votre chien va apprendre beaucoup plus rapidement tout ce que vous voulez s'il voit que vous avez une réaction positive – un mot élogieux quand il se tient sagement assis, par exemple, ou une gourmandise quand il répond à votre appel.

Instaurez une éthique de travail. Il y a des chiens auxquels on ne demande jamais de faire quoi que ce soit. Ils viennent quand ils veulent, se couchent à l'endroit qu'ils choisissent et se sentent libres de vous ignorer selon leur humeur. Cela n'a donc rien de surprenant qu'ils aient fréquemment des problèmes de comportement. Pour avoir un chien bien élevé, c'est toujours une bonne idée de le faire travailler en échange de quelques récompenses. Il comprendra rapidement que le chemin du bonheur passe par ce qui vous fait plaisir à vous, son leader.

Par exemple, faites asseoir votre chien devant la porte d'entrée avant de le laisser sortir. Dites-lui de s'asseoir et d'attendre pendant que vous posez son bol devant lui. Dites-lui de s'asseoir ou de se coucher avant de le caresser, ou avant qu'il vous accueille ou accueille des visiteurs. Et récompensez-le toujours de son obéissance avec une parole élogieuse, une flatterie de la main ou une gourmandise.

Désamorcez ses tentatives de domination

La plupart des chiens sont heureux d'avoir un maître humain. Parfois, cependant, ils veulent se mesurer à

COMMENT FAIRE LES PRÉSENTATIONS

Les chiens ont leur territoire et n'apprécient pas de voir d'autres individus l'envahir. C'est pourquoi les dresseurs recommandent de présenter un chien à d'autres congénères hors de la maison, là où il n'a pas son territoire à défendre.

« Il faut toujours présenter deux chiens l'un à l'autre en terrain neutre, dans un parc, par exemple », affirme Wendy Volhard, dresseur. « Vous ne voudriez pas mettre votre chien dans une situation où il devrait défendre son territoire ». Une fois que les chiens se connaissent, c'est bien de les emmener tous les deux chez vous, mais vous devez continuer à respecter le statut de votre chien, ajoute Wendy Volhard. C'est-à-dire qu'il faut le laisser, en tant que chien « principal », entrer le premier à la maison. Il se retournera probablement pour regarder le nouvel arrivant, puis il lui fera comprendre avec subtilité qu'il peut le suivre. Et une fois qu'ils seront amis, vous n'aurez plus à craindre de situations conflictuelles.

---

lui parce qu'ils ont décidé d'être le maître. Cela se voit à des signes subtils : ils s'étendent sur vos pieds et refusent de bouger quand vous voulez vous lever, ou ils agissent vraiment avec agressivité. Quand cela se produit, vous devez faire une démarche sérieuse pour reprendre votre chien en mains. La solution est de lui faire savoir que c'est vous qui commandez, mais sans provoquer de confrontation. C'est une situation dans laquelle il ne faut pas aller trop vite car une fois qu'un chien a commencé à affirmer sa domination, il perçoit toute opposition comme un défi et il s'enracine encore plus dans sa position. Votre but est d'affirmer graduellement votre position d'autorité, tout en réduisant les tendances agressives de votre chien.

Donnez-lui moins de protéines. Nombreux sont les chiens qui ont une nourriture trop riche en protéines. Un excès de protéines engendre trop d'énergie, et ce trop-plein d'énergie peut conduire les chiens qui ont une personnalité forte, dominante, à contester votre autorité. Cherchez de la nourriture pour chien ayant moins de 20 % de protéines, conseille Ilana Reisner, vétérinaire et spécialiste du comportement animal à l'université.

Faites-le bouger. L'exercice évacue l'énergie excessive d'un chien et, par conséquent, peut refroidir son désir de commander. En outre, l'exercice libère les endorphines, composants chimiques du cerveau qui calment et peuvent aider votre chien à retrouver une humeur plus agréable. Essayez de le faire marcher, courir ou faire d'autres exercices fatigants au moins vingt minutes par jour, plus longtemps même si c'est un grand chien ou un chien particulièrement actif.

Évitez les confrontations. Il existe deux situations qui déclenchent souvent la confrontation de la part des chiens ayant tendance à dominer. La première, c'est la compétition pour obtenir un objet convoité. Tant que votre chien ne connaît pas sa vraie place dans la famille, ne lui retirez pas ses jouets ou quelque autre objet qu'il considère à lui (du moins, évitez de le faire quand il vous voit ; il vaut mieux faire disparaître les objets « à problème » quand il n'est pas près de

Ce Yorkshire Terrier a appris à s'asseoir et à attendre la permission de manger son repas.

vous). La seconde cause principale de confrontation est sa réaction à ce qu'il perçoit comme une menace : les chiens dominants peuvent mal réagir s'ils sont surpris, aussi ne dérangez pas votre chien quand il se repose, ou ne surgissez pas brusquement derrière lui.

Même si c'est à vous, en tant que représentant de l'autorité, de mener la barque, il n'y a rien à redire au fait de montrer un peu plus de souplesse quand vous lui apprenez à obéir. Une confrontation ne ferait que l'enfoncer dans sa détermination, alors que si vous faites quelques petites concessions dans votre relation, vous aurez plus de chances d'aboutir à des résultats durables.

Entraînez-le à obéir aux ordres. Voici une bonne méthode pour renforcer votre autorité et apprendre à votre chien à la respecter. Vous n'avez pas besoin d'être un maître-chien ni de passer des heures à lui donner, chaque jour, des leçons dignes d'une formation militaire. L'idée est d'habituer votre chien à obéir à des ordres simples : s'asseoir, se coucher, rester, venir, et de répéter les leçons deux fois par jour pendant 10 minutes. Si votre chien commence à vous obéir pendant ces leçons, il le fera sûrement à l'avenir. Vous pouvez alors lui faire gagner, en obéissant, ce dont il a envie, qu'il s'agisse d'un jouet, d'une gourmandise ou de passer du temps avec vous.

Instaurez un rythme. Diriger est un travail à plein temps. Même pen-

Ces Bergers allemands suivent leur maîtresse et lui laissent choisir le rythme de leurs jeux.

per le ballon chaque fois qu'il vous le rapporte. Il est préférable d'éviter les jeux brutaux comme la lutte ou les jeux de corde, dans lesquels votre chien se mesure à vous, ce qui encourage son agressivité. Quand un chien de nature à vouloir dominer gagne à ce genre de jeu, il croit qu'il est sur le point de vous faire tomber du sommet de l'échelle hiérarchique.

Montrez-vous plus malin que lui. Peu importe que votre chien ait prouvé sa tendance à dominer, vous avez un formidable avantage : vous êtes bien plus malin que lui. Vous n'avez donc pas toujours besoin de vous confronter à lui. Parfois, une petite dose de sournoiserie fera l'affaire. Imaginez que votre chien file avec quelque chose qu'il n'a pas le droit de prendre, une de vos chaussures par exemple, et qu'il se montre agressif quand vous voulez la récupérer. Inutile d'insister. Offrez-lui plutôt quelque chose dont il a encore plus envie, son jouet favori ou une gourmandise. Puis quand il lâche votre chaussure, envoyez-la hors de sa portée et de sa vue. Vous pourrez venir la reprendre plus tard.

dant que vous jouez avec votre chien, il est nécessaire que vous gardiez ce statut. Cela signifie que c'est vous, et non lui, qui décidez du moment où vous vous mettez à jouer et du moment où vous vous arrêtez, et s'il doit jouer vigoureusement ou tranquillement. Et quand le jeu est terminé, ramassez votre ballon et rentrez chez vous. Il apprendra à vous suivre, au lieu d'essayer de vous entraîner derrière lui.

C'est aussi à vous de décider à quoi vous allez jouer. Les meilleurs jeux sont ceux dans lesquels vous donnez des ordres, ce qui renforce votre autorité. Quand vous envoyez un ballon, par exemple, vous menez la barque en laissant votre chien échap-

Diriger une maisonnée de plusieurs chiens

Les meilleures relations entre les humains et les chiens sont celles dans lesquelles les humains détiennent l'autorité, et dans lesquelles les chiens le savent. Ce qui est surtout vrai dans une maison où ils sont plusieurs.

Tous les chiens vivant ensemble, qu'ils soient nombreux ou pas, observent un ordre très strict. Il y a le leader, dont tous les autres connaissent la place au sein du groupe. Ils savent ce qu'ils attendent de lui. Habituellement, les chiens comprennent la hiérarchie sans votre aide. Mais il arrive que certaines personnes rendent cette appréciation difficile pour leur chien en essayant de les mettre tous à égalité. « Cela provoque le stress chez les chiens, et le résultat, c'est une bagarre pour avoir la place du chef », dit Sandy Myers. « Chaque chien a sa place, et si nous bouleversons cet ordre, le chien dominant essaie de redresser la situation. L'égalité n'existe pas dans un groupe canin ».

Vous pouvez contribuer à la stabilité de la situation dans une maison où il y a plusieurs chiens en comprenant quel est celui qui commande et en respectant son rang. « Pour voir lequel est le leader, imaginez ce que chaque chien aime le plus », suggère Sandy Myers. « C'est différent pour chacun d'eux : les câlins pour l'un, la nourriture pour l'autre. Puis observez-les pour voir lequel va abandonner ce qu'il préfère quand l'autre approche. En général, celui qui ne cède pas est le leader ».

Une fois que vous avez saisi quel est le chien dominant, il

Ce Schnauzer est le chien dominant de la famille, aussi est-il nourri le premier. Le Caniche nain, qui arrive après dans la hiérarchie, mange plus tard.

faut vous assurer que vous respectez l'ordre hiérarchique : vous devez faire attention au leader en tout premier lieu. Par exemple, donnez-lui à manger avant les autres, caressez-le le premier quand vous rentrez à la maison et laissez-le entrer ou sortir avant les autres. Il considérera ces privilèges comme son dû et les autres chiens ne lui en porteront pas rancune puisque c'est ainsi que les choses sont censées se passer entre eux.

Cependant, quand deux chiens ne s'entendent pas bien, il est nécessaire de vous en mêler. Lindsley Cross a appris cela de première main quand elle a ramené chez elle Rosie, un Pointer croisé âgé de 6 mois. L'autre chienne de Lindsley Cross, un berger australien de deux ans qui s'appelait B.G., était heureuse de partager sa maîtresse avec la nouvelle venue. Mais Rosie, elle, détestait que B.G. reçoive des marques d'affection. Elle poussait Lindsley chaque fois que celle-ci voulait caresser sa chienne la plus âgée. Rosie se mit aussi à s'installer aux endroits où B.G. se reposait, et à jouer brutalement avec elle, parfois jusqu'à la faire japper de douleur. La chose n'aurait cessé d'empirer si, sur les conseils de gens compétents, Lindsley Cross n'avait pas abandonné son attitude laxiste, ordonnant aussitôt à Rosie de cesser de se conduire brutalement, en lui disant « non ! », par exemple, et en l'éloignant de B.G. quand elle commençait à jouer les dures. Ce fut suffisant. Rosie est restée un peu arrogante mais elle a appris qu'elle ne pourrait s'en sortir en restant trop agressive. En outre, B.G. est devenue plus sûre d'elle, naturellement, quand Lindsley a commencé à s'interposer.

CHAPITRE DIX-HUIT

LES MESSAGES AMBIGUS

Les chiens n'entendent pas toujours ce que nous disons.
Le fait de savoir qu'il peut y avoir des malentendus permet de progresser vers
une communication plus claire avec votre chien.

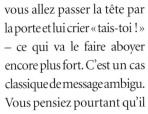

ous passons beaucoup de temps avec les chiens, et nous réussissons à très bien les comprendre. Cependant, il est intéressant de ne pas oublier que nous appartenons à une tout autre espèce et que nos moyens de communication sont tout à fait différents des leurs. C'est pourquoi, malgré nos meilleures intentions, nous finissons toujours par leur envoyer des messages ambigus, qui n'ont pas pour eux la même signification que pour nous.

Supposons que votre chien aboie joyeusement dans le jardin. Si vous êtes comme la plupart des gens, vous allez passer la tête par la porte et lui crier « tais-toi ! » – ce qui va le faire aboyer encore plus fort. C'est un cas classique de message ambigu. Vous pensiez pourtant qu'il était parfaitement clair. Mais votre chien l'interprète différemment. D'après votre cri, il se dit probablement :

Les chiens ne perçoivent pas le volume sonore de la même façon que nous, c'est pourquoi vous risquez d'obtenir l'effet contraire en criant à votre chien de cesser d'aboyer.

« Génial, si mon maître aboie aussi, nous allons nous y mettre tous les deux ! »

Mais il n'est pas obligatoire que ce genre de malentendu se produise. Une fois que vous avez compris comment votre chien fonctionne, vous découvrez de quelle façon vous pouvez communiquer avec lui afin qu'il ne risque plus de se tromper.

Différences dans le langage corporel

Souvent, les gens et les chiens se comprennent mal, car ils ont une interprétation différente du langage corporel. Les gestes des mains, la posture, et jusqu'aux expressions faciales ont des significations entièrement différentes pour les chiens et pour les êtres humains. Prenons le sourire : parmi les humains, c'est un signe d'amitié et de plaisir. Mais, selon Sandy Myers, les chiens « sourient » la plupart du temps quand ils ont un comportement agressif, et ils supposent que les autres font la même chose pour les mêmes raisons. Ainsi, votre réaction chaleureuse destinée à mettre un chien à l'aise risque de recevoir un accueil plutôt froid.

Ce qui ne signifie pas qu'il faut accueillir son chien avec un visage glacial. Souvent, les chiens comprennent leur maître mieux que nous ne le pensons et ils apprennent à déchiffrer les signes humains, même lorsqu'ils sont différents des leurs. Mais lorsque vous avez affaire à un chien que vous ne connaissez pas, dans la rue ou chez quelqu'un, il vaut mieux garder votre sourire pour plus tard, quand le chien vous connaîtra mieux et qu'il se sentira à l'aise avec vous.

C'est la même chose en ce qui concerne le contact visuel. Parmi les êtres humains, c'est un signe de courtoisie et de confiance. Nous respectons les gens qui nous regardent dans les yeux. En revanche, ceux qui évitent notre regard paraissent souvent distraits ou fuyants. Mais dans le monde des chiens, c'est le contraire qui est vrai : le contact visuel direct est souvent perçu comme un défi ou un signe d'agressivité. Un chien qui en regarde un autre droit dans les yeux lui dit : « Ici, c'est moi qui commande ! » Si l'autre est d'une nature paisible, il va détourner les yeux, mais s'il est belliqueux, il va le regarder bien en face, signifiant par là qu'il n'a pas l'intention d'abandonner la partie.

Les chiens apprennent que le contact visuel avec les humains est parfaitement acceptable, mais il faut du temps pour qu'ils atteignent ce niveau de compréhension. Quand vous souhaitez la bienvenue à un chien que vous ne connaissez pas très bien, la dernière chose à faire est de le défier, même sans le vouloir. Au mieux, il lui faudra beaucoup de temps pour vous faire confiance, au pire, il vous mordra. La meilleure façon d'accueillir un chien est de regarder ailleurs, dit Robin Kovary, dresseur. Cela leur laisse une chance de vous approcher et de vous renifler sans qu'ils se sentent menacés. Quand vous avez appris à vous connaître, vous pouvez avoir un contact visuel avec eux car ils se sont rendu compte, à ce moment-là, que les humains ne connaissaient pas toutes les règles, et ils font preuve d'indulgence envers ce faux pas social.

La posture est une autre façon d'envoyer parfois de faux messages. Les gens bougent énormément les mains en parlant, ou alors ils restent debout en ouvrant les bras comme pour embrasser quelqu'un.

Ce Chien-loup irlandais préfère faire connaissance par un contact visuel indirect et des mouvements lents et calmes.

Du point de vue canin, ces gestes démonstratifs et ces mouvements rapides des mains peuvent être énervants parce que ce n'est pas du tout ainsi que les chiens s'accueillent mutuellement. Ils sont beaucoup moins directs : ils avancent en biais vers un étranger, en marchant doucement pour ne pas éveiller ses soupçons. C'est pour cela que les chiens s'effarouchent souvent à l'approche de quelqu'un qui se déplace trop vite ou qui a trop d'énergie. Votre bonne volonté et votre exubérance chaleureuse peuvent leur paraître menaçantes, du moins tant qu'ils ne vous connaissent pas.

Espace personnel

Quand il est temps de s'étirer et de se mettre à l'aise, les chiens ne craignent pas de prendre les meilleures places. Une moquette moelleuse au milieu de la pièce fait très bien l'affaire, ainsi qu'un canapé en cuir ou, par une nuit très froide, le confort douillet d'un lit aux dimensions royales. Et une fois qu'ils sont installés, ils répugnent vraiment à bouger. C'est pourquoi leur maître passe souvent ses journées à enjamber avec précaution un chien récalcitrant, et leurs nuits recroquevillés au bord du lit tandis que leur animal indolent s'étale dans un confort de rêve.

C'est normal de laisser tranquilles les chiens qui dorment, mais si vous leur permettez d'envahir l'espace familial, vous commettez l'une des erreurs de communication les plus fréquentes, selon Yody Blass. Bien sûr, laisser votre chien étendu en paix, ou le laisser passer quand il vous bouscule dans le hall, ne représente pour vous qu'un acte de courtoisie. Mais pour lui, c'est le signe qu'il est plus digne de respect que vous.

Les chiens ont un très grand sens de la différence des classes. Autrefois, quand ils vivaient uniquement entre eux, leur société était strictement hiérarchisée. Il y avait des chiens qui dirigeaient, et les autres suivaient. Chacun connaissait sa place. Les leaders dormaient dans les meilleurs endroits, buvaient et mangeaient les premiers. Et ils attendaient que les autres leur témoignent des marques de respect.

La plupart des chiens ne vivent plus en hordes désormais, mais ils sont toujours intéressés par leur statut. Ils aiment obéir à ceux qui détiennent un statut plus élevé. Cependant, il est rare qu'ils soient aussi accommodants quand ils sentent que la balance du pouvoir penche de leur côté.

Ce qui signifie que, si vous contournez votre chien au lieu de lui dire de se pousser, ou si vous lui permettez de dormir dans le lit ou de vous bousculer quand il se dirige vers la porte d'entrée, il va commencer à se voir comme le chien dominant, explique

Il n'y a pas que les grands chiens qui essaient de temps en temps de faire la loi. Les petits, comme ce Carlin, tentent aussi parfois de dominer leurs maîtres, en particulier quand ils ont le droit de s'installer sur les canapés.

Yody Blass. Par conséquent, il peut vous percevoir comme son subalterne. Ce qui était dans votre esprit un acte de courtoisie sera interprété par votre chien comme une incitation à prendre le pouvoir.

Cela se produit aussi dans les familles qui ne permettent pas à leur chien de dormir sur les lits. Un chien qui dort sur le seuil d'une porte et qui ne bouge pas quand vous approchez est en train de tester tranquillement ses limites. Ce n'est certainement pas un problème pour vous de le contourner, mais avec le temps, il va croire que vous lui montrez du respect et que son statut grimpe dans la hiérarchie familiale.

Il est important de reconnaître cette différence de perspective car les chiens qui commencent à dominer l'espace risquent aussi bien de vouloir dominer dans d'autres domaines. Tout ceci est une question de respect : vous ne resteriez pas sur le passage du président à son approche, et votre chien ne devrait pas être dans le vôtre non plus, affirme Sandy Myers.

Signes vocaux

Les chiens ont souvent du mal à interpréter ce que les gens leur disent. Ayant des difficultés à comprendre les paroles seules, ils cherchent d'autres signes, tels que la hauteur et le ton de la voix, pour essayer de comprendre. Vous devez donc accorder ces signes-là au contenu de votre message pour être sûr que votre chien va bien le saisir. Par exemple, les personnes qui ont une voix perchée doivent faire un effort particulier pour donner des ordres à leur chien d'une voix plus autoritaire, selon Greg Strong, dresseur. Sinon, le chien va croire qu'il n'est pas obligé de leur obéir, et il va réagir en fonction de ce sentiment. Mais les gens qui ont la voix grave risquent d'avoir des difficultés à la placer suffisamment haut pour qu'elle transmette un sentiment de plaisir et d'approbation quand ils félicitent un chien.

Les mots sont plus efficaces quand ils sont prononcés sur le ton qui convient. Ce Boxer sait que le ton sérieux de son maître signifie qu'il le réprimande.

Votre chien peut également être troublé si vous ne prenez pas le ton approprié pour lui parler. Par exemple, si vous terminez l'ordre que vous lui donnez par un point d'interrogation, il ne va pas comprendre ce que vous attendez de lui. De la même façon, si vous lui parlez sur un ton trop sévère, il peut penser que vous n'êtes pas heureux en sa compagnie et il va répugner à vous répondre.

Une autre source fréquente d'erreur est le manque de changement d'expression dans la voix. Par exemple, si vous félicitez votre chien avec le même ton vif et lourd d'intentions que vous prenez pour lui donner des ordres, il ne saura probablement pas qu'il a fait quelque chose de bien, affirme Robin Kovary. Alors, félicitez-le d'une voix élevée, enthousiaste et heureuse, qui lui fera clairement réaliser qu'il vous a fait plaisir.

Envoyez des messages clairs

Une fois que vous aurez compris le mode de pensée des chiens, il vous sera plus facile de parler et d'agir de façon à ce qu'ils comprennent. C'est un effort qui vaut la peine d'être fait car, quelle que soit l'obstination qu'ils mettent à s'adapter, la société humaine est vraiment très différente, et beaucoup plus troublante pour eux que pour nous. En communiquant avec clarté et en faisant comprendre à votre chien ce que vous attendez de lui, il se sentira davantage en confiance et sera plus à l'aise quand il vous regardera en attendant vos directives.

Soyez logique. Imaginez que vous êtes en train d'apprendre l'espagnol ; vous auriez l'esprit considérablement brouillé si on vous disait un jour que « adios » veut dire « bonjour » et, le lendemain, que cela signifie « au revoir ». Les chiens se trouvent confrontés chaque jour à ce manque de logique. Un jour nous les

Ce Shiba inu comprend qu'il a fait ce qu'attendait sa maîtresse aux compliments qu'elle lui prodigue.

repoussons de la table quand ils mendient une aumône, et le lendemain, nous leur disons « tiens, pour une fois ! ». Donner des signes opposés est une source de confusion – et peut rendre les chiens paresseux.

Le meilleur moyen d'éviter les échecs de communication est d'être logique, dit Robin Kovary. Si vous ne voulez pas que votre chien vienne mendier à table, ne lui glissez pas de la nourriture quand vous mangez. Jamais. Si vous ne voulez pas de lui sur le canapé, dites-lui « descends », et faites en sorte que votre volonté soit exécutée. Donnez les mêmes ordres à chaque fois.

Félicitez-le souvent. Les chiens ne comprennent pas très bien le langage humain et ils ne sont pas capables de lire une liste de règles à suivre. Il est difficile pour eux de savoir ce qu'ils sont censés ou ce qu'ils ne sont pas censés faire. C'est pourquoi il est primordial de féliciter abondamment un chien qui se conduit bien, dit Robin Kovary. Quand il s'écarte de votre chemin au moment où vous vous dirigez vers la porte, dites-lui que c'est un bon chien. Caressez-lui la tête quand il arrive à votre appel, et donnez-lui une friandise s'il s'arrête d'aboyer quand vous le lui demandez.

Peu importe comment vous le félicitez – avec une parole gentille, une caresse ou un biscuit – votre chien sait qu'il a bien déchiffré votre message.

Félicitez-le immédiatement. Il n'est pas toujours facile pour les chiens d'établir un lien, mentalement, entre ce que vous lui dites et ce à quoi cela se rapporte. « Vous avez une ouverture d'environ trois secondes pendant laquelle votre chien connecte ce que vous dites ou faites avec ce qu'il vient de faire », explique Yody Blass. Pour que les félicitations soient efficaces, elles doivent être immédiates.

Montrez-lui ce que vous désirez. Il y a peu de choses plus frustrantes que de s'entendre dire qu'il faut faire quelque chose sans savoir ce que l'on est censé faire exactement. Les chiens vivent cela sans arrêt. Comme les touristes qui ne parlent pas la langue du pays qu'ils visitent, ils peuvent se rendre compte d'après le ton de votre voix que vous voulez quelque chose, mais ils n'ont pas la moindre idée de ce dont il s'agit.

L'un des moyens les plus rapides pour contourner les barrières de la communication est de montrer à votre chien ce que vous voulez, dit Robin Kovary. En un mot, si vous voyez que votre chien s'apprête à faire quelque chose de travers, montrez-lui comment le faire bien. Par exemple, emmenez-le dehors quand il semble être sur le point de faire une pause pipi sur la moquette, puis félicitez-le d'être allé au bon endroit. S'il ne bouge pas du passage quand vous le lui ordonnez, poussez-le doucement. Quand il vous flaire à un endroit interdit, avancez pour le faire reculer, ou ordonnez-lui « ça suffit ». Le fait de combiner les ordres avec ce genre de renforcement direct – tout en le félicitant quand il fait ce que vous lui demandez – permet à votre chien de comprendre plus facilement ce que vous lui dites.

CHAPITRE DIX-NEUF

DIX PROBLÈMES DE COMMUNICATION FRÉQUENTS

La majeure partie des problèmes de comportement n'est que le résultat d'une mauvaise communication. Une fois que l'on a compris ce qu'ils veulent exprimer et trouvé des moyens plus efficaces pour communiquer avec eux, la plupart de ces problèmes sont faciles à régler.

Les chiens vivent avec nous depuis des milliers d'années, et dans l'ensemble, nous nous comprenons très bien. Mais il arrive parfois que la communication échoue : les chiens ne comprennent pas ce que nous voulons qu'ils fassent, et, tout aussi souvent, nous leur envoyons sans le vouloir des messages erronés.

Quand on considère que les chiens et nous avons un langage complètement différent, il est surprenant qu'il n'y ait pas davantage d'échecs de communication. « Les humains ont déjà assez de mal à communiquer clairement entre eux », remarque Liz Thomas, dresseur. « Mais quand nous essayons de communiquer avec les chiens, nous rencontrons une difficulté supplémentaire, qui est de travailler avec une espèce différente, qui ne parle pas, et qui ne pense pas de la même façon que nous ».

Les problèmes de communication prennent parfois des formes surprenantes, et il n'est pas toujours facile de les reconnaître, ajoute Liz Thomas. Supposons que votre chien ait rongé vos chaussures. Il ne s'est pas seulement mal comporté, il a aussi essayé de vous transmettre un message. Quel en est le contenu ? Cela dépend du chien et de la situation. Les chiens qui passent beaucoup de temps tout seuls se mettent parfois à ronger quelque chose pour dis-siper un sentiment de solitude et de frustration. D'autres font cela parce qu'ils ne voient pas la différence entre vos affaires et les leurs. D'autres encore peuvent ronger quelque chose pour la seule raison que cette activité leur plaît.

En un mot, les chiens et nous parlons des langages différents, et tant que chacun n'apprend pas les bases du langage de l'autre, nous sommes appelés à avoir

Un règlement logique est nécessaire pour éviter la confusion. Si vous ne voulez pas que votre chien monte sur certains meubles, empêchez-le aussi de monter sur les lits.

des problèmes de communication, qui peuvent prendre souvent des formes étonnantes. On ne pense pas forcément que si le chien abîme nos affaires en les rongeant, tire sur sa laisse ou salit la maison, c'est le résultat de notre échec à communiquer avec lui, ou vice versa. Mais en fait, la mauvaise communication est souvent au cœur de ces difficultés.

Dans de nombreux cas, la solution à ces problèmes est beaucoup plus facile à trouver si l'on fait preuve d'un peu d'empathie. Voici quelques idées pour mieux comprendre pourquoi votre chien fait telle ou telle chose, et pour venir à bout des obstacles les plus fréquents – sans parler des plus vexants – qui empêchent l'harmonie de s'installer entre lui et vous.

Agressivité

Il y a des chiens qui savent ce qu'ils veulent et qui deviennent très agressifs pour l'obtenir. Ils se jettent sur leur maître pour attirer son attention. Ils s'emparent de certaines places, dans la maison, d'où rien ne peut les déloger. Ils insistent pour

AU SECOURS !

Bien que l'agressivité ne soit pas nécessairement plus difficile à vaincre que d'autres comportements perturbés, il n'y a pas beaucoup de place pour l'erreur. Un chien qui n'apprend pas rapidement ses leçons se met parfois à mordre ou à menacer, ce qui peut être dangereux. C'est pourquoi les vétérinaires recommandent d'appeler un dresseur ou un spécialiste du comportement animal au premier signe d'agressivité, dit Myrna Milani, vétérinaire spécialiste.

jouer ou pour être caressés, et ils ne considèrent pas qu'un refus soit une réponse acceptable. Ils veulent essentiellement diriger le navire.

L'agressivité peut aussi prendre des formes plus graves. Il n'est pas rare que les chiens grognent, ou grondent, ou mordent, dans certains cas, afin d'obtenir ce qu'ils veulent. Ce genre d'agressivité ne disparaît jamais toute seule. C'est en fait le problème du comportement le plus courant, celui à cause duquel les propriétaires de ces chiens vont chercher du secours auprès des dresseurs et des spécialistes du comportement.

L'agressivité est un problème complexe car elle peut avoir plusieurs causes. Il y a des chiens qui ont une personnalité dominante. Même s'ils ne montrent jamais de signes évidents d'agressivité, ils essaient toujours d'obtenir ce qu'ils désirent. D'autres chiens sont coléreux ou se sentent en insécurité. Ce sont eux qui risquent le plus de gronder et de mordre. On peut comprendre la personnalité de son chien par la façon dont il exprime ses tendances agressives ou dominantes. Voici la signification habituelle des signes qu'ils font dans ces cas-là :

Hé, parle-moi. Fréquemment, les chiens poussent gentiment leur maître ou lui donnent un petit coup de tête pour se rappeler à leur attention. Ce genre de comportement n'est pas problématique, en général, tant que le chien n'agit pas de façon plus agressive dans d'autres circonstances, selon Pat Miller, dresseur.

Je veux contrôler la situation. Les chiens qui poussent sans arrêt les gens et qui jouent brutalement, ou qui prennent les places de choix sur les lits et les canapés, ou encore qui refusent de se déplacer quand leur maître tente de se faufiler derrière eux, font preuve de formes plus graves d'agressivité. Ils veulent commander et ils renforcent leur position. À moins de les faire cesser rapidement, ils continueront à vou-

Ce chien croisé de Labrador aime le jeu de Frisbee, dans lequel il coopère plus qu'il ne joue avec son maître. Grâce à ce genre de jeu, il n'aura peut-être pas envie de devenir le chef de famille.

loir dominer et deviendront de plus en plus arrogants et difficiles à vivre.

Ce chien croisé de Labrador aime le jeu de Frisbee, dans lequel il coopère plus qu'il ne joue avec son maître. Grâce à ce genre de jeu, il n'aura peut-être pas envie de devenir le chef de famille.

Le fait que votre chien morde, gronde ou montre d'autres formes d'agressivité pouvant être très dangereux, non seulement pour vous mais pour les autres, vous pouvez envisager de faire appel à l'aide d'un dresseur. Mais les principes de base pour faire faire « marche arrière » à un chien et le rendre plus coopératif ne sont pas très difficiles à appliquer.

Par exemple, vous pouvez trouver des jeux dans lesquels votre chien coopère avec vous, comme lancer un ballon ou faire une promenade. Les jeux tels que la lutte créent un esprit de compétition qui ne fait que renforcer le désir de domination d'un chien.

Le territoire et la possession sont importants pour les chiens, et c'est pourquoi leur attitude agressive passe souvent par le fait d'assiéger un canapé et de refuser d'en partir. Tant que votre chien montre des signes d'agressivité, il est préférable de l'empê-

cher de monter sur les meubles. Les chiens les voient comme des emplacements « de choix », et si vous les empêchez d'y aller, ils finissent par comprendre que leur rang dans la famille est subordonné au vôtre.

LE BON TRUC

Pourquoi les chiens aiment-ils les jeux de lutte ?

Beaucoup de chiens aiment tirer sur une corde d'un côté pendant que leur maître tire de l'autre, c'est même un de leurs jeux favoris. Pourquoi ?

« La lutte déclenche l'instinct de compétition d'un chien, » explique Steve Aiken. Dans la nature, l'animal dominant exploite toutes les opportunités, y compris pour la nourriture, ajoute-t-il. Les animaux sont constamment en compétition les uns par rapport aux autres pour voir quel est celui qui va dominer. Par exemple, si un membre subalterne de la meute essaie d'attraper un morceau de nourriture qui appartient au leader, il déclenche une bagarre. Le gagnant garde la nourriture, et trouve sa place au sommet de la hiérarchie.

« C'est pour cela que certains dresseurs vous conseillent de ne pas faire des jeux de lutte avec votre chien, » dit Aiken. « Si vous perdez, cela peut être le signal de votre perte d'autorité, ce qui peut provoquer, plus tard, des problèmes de comportement ».

Pourtant, beaucoup de gens et de chiens s'amusent avec un bon jeu de lutte, et si cela est bien fait, il n'y a pas de problème. « Pourvu que ce soit toujours vous qui gagniez », conseille Aiken. Si, grâce à sa force et à sa ténacité, votre chien a toutes les chances d'avoir le dessus, il vaut mieux lui faire rapporter des objets que vous lui envoyez. À ce jeu-là, votre chien vous obéit aussi, mais il s'amuse en même temps.

Les portes représentent une autre forme de territoire, et vous devriez toujours vous assurer que votre chien les passe après vous et non pas avant. En outre, ne le laissez pas s'étendre devant une porte ou en bas d'un escalier, ajoute Robin Kovary, dresseur.

Il y a deux moyens excellents pour contrôler leur agressivité, c'est de les emmener faire de longues promenades ou de leur faire faire régulièrement des exercices d'obéissance. Cela renforce le lien entre vous et eux ainsi que votre rôle de leader. Ce sont aussi des activités qui les fatiguent, et un chien fatigué a moins de chances d'être agressif, dit Robin Kovary.

Faites comprendre à votre chien qu'un repas gratuit, cela n'existe pas, et que son travail, c'est de gagner votre attention. Ne lui donnez rien – nourriture, caresse ou autre – avant qu'il n'ait fait quelque chose pour vous. Faites-le s'asseoir avant de sortir, ou donnez-lui d'autres ordres avant de poser sa nourriture devant lui.

Aboyer

Personne ne se plaint d'un petit aboiement par-ci par-là, mais il y a des chiens qui ont beaucoup de choses à dire. Ils aboient pour un oui ou pour un non : un vélo qui passe, un chat, ou le froissement d'un rideau. Ou alors ils aboient pendant des heures uniquement pour entendre leur voix. L'aboiement est un des problèmes de comportement les plus courants. C'est aussi l'un des plus graves, non seulement parce qu'il agit sur les nerfs de la famille humaine du chien, mais aussi parce que les voisins, quand ils sont à bout de patience, peuvent se décider à contacter le commissariat de police. Et il est inutile de crier puisque le chien croit que vous aboyez pour lui répondre.

L'aboiement est parfois un problème insoluble, d'une part parce que c'est un réflexe naturel, d'autre

Ce Jack Russell Terrier aboie parce qu'il veut que son maître aille voir quelque chose. Quand il a obtenu ce qu'il veut, il se tait de son plein gré.

part parce que les chiens ont beaucoup de raisons de le faire. Voici les différentes significations de leurs aboiements :

Quelqu'un entre à la maison !
Comme nous, les chiens ont le sens de leur territoire, mais au lieu de construire des barrières, ils aboient. C'est pratique quand vous voulez savoir si quelqu'un s'est introduit dans votre propriété, mais cela peut également être une véritable nuisance quand votre chien aboie contre n'importe quoi, les chats ou le facteur.

Si votre chien a une définition un peu trop large du mot « intrus », il est possible d'avoir recours à des tactiques de diversion, propose Shirley Sullivan, dresseur. Par exemple, quand vous voyez le facteur arriver, débrouillez-vous pour occuper votre chien et pour qu'il se concentre sur vous en le faisant s'asseoir et se coucher plusieurs fois, un exercice que les dresseurs appellent les « pompes pour les chiots ». L'idée, c'est que l'attention de votre chien soit détournée de la personne qui vient chez vous.

N'oublie pas que je suis là.
Certains chiens redoublent d'aboiements quand leur maître est au téléphone ou qu'il a une autre activité qui les laisse en dehors de son champ d'attention. Là aussi, le problème est facile à corriger. Sullivan conseille de lui passer brusquement sa laisse quand vous êtes très

ET MAINTENANT, PARLE !

L'aboiement est aussi naturel pour le chien que la parole pour nous. Quel que soit l'acharnement avec lequel vous essayez de les décourager, les chiens parviennent difficilement à comprendre la nature du problème. C'est pourquoi les dresseurs optent souvent pour une approche complètement opposée. Plutôt que d'apprendre aux chiens à ne pas aboyer, ils leur apprennent à quel moment commencer. « Apprendre à un chien à aboyer sur commande est la clé pour l'entraîner à ne plus aboyer », dit Sandy Myers. Commencez par chercher ce que vous pouvez faire pour que votre chien se mette à aboyer. Vous pouvez parler d'une voix perchée, sauter sur place, courir en agitant les bras, ou simplement avoir l'air surexcité. Quand votre chien commence à aboyer, félicitez-le en lui disant « c'était un joli petit aboiement », ou « tu as bien parlé », et donnez-lui une friandise. Recommencez jusqu'à ce que votre ordre suffise à le faire pousser de la voix.

Une fois qu'il aboie sur commande, il est temps de lui apprendre à s'arrêter sur commande, ajoute Sandy Myers. Donnez-lui l'ordre d'aboyer, puis quand il fait une pause entre deux aboiements, donnez-lui une friandise et dites-lui : « c'est bon, le silence ! ». Les chiens ne peuvent pas aboyer et mâcher en même temps, et la plupart sont heureux d'échanger une activité contre une autre. Continuez à l'entraîner jusqu'à ce qu'il cesse d'aboyer, logiquement, quand vous lui en donnez l'ordre.

L'idée n'est pas de le faire cesser d'aboyer complètement, dit Sandy Myers. « Quand quelque chose d'extraordinaire se produit, nous voulons que nos chiens nous le fassent savoir. Et puis, certains chiens ont besoin d'aboyer, par nature. Mais ils doivent aussi obéir quand nous leur ordonnons de se taire ».

Sandy Myers conseille d'exercer votre chien une fois par jour à se mettre à aboyer et à s'arrêter. « Ainsi votre chien a la dose d'aboiement dont il a besoin, par sa nature, et vous lui apprenez en même temps à contrôler lui-même ses manifestations vocales ».

Les chiens comme ce Vizsla peuvent apprendre à aboyer sur commande. En contrôlant les moments où votre chien aboie, vous aurez une meilleure relation avec lui et avec vos voisins.

occupé. S'il se met à aboyer, tirez sur la laisse pour obtenir son attention et le calmer. La plupart des chiens comprennent vite. Finalement, le simple fait de lui mettre sa laisse avant de passer un coup de téléphone vous garantira un moment de paix.

Écoute-moi. Il y a toutes sortes de choses qui dérangent les chiens, et ils réagissent en appelant leur maître par le seul moyen qu'ils connaissent : l'aboiement. Ce genre d'aboiement est normal, et il n'y a pas lieu de le faire cesser, dit Robin Kovary. Prenez le temps d'aller voir ce qui se passe. Quand votre chien voit que vous êtes là, il se sent moins responsable et, la plupart du temps, il cesse d'aboyer sans qu'on le lui demande.

Quémander l'attention

Les chiens sont de vrais ogres en ce qui concerne l'attention. Cela signifie souvent qu'ils sont un peu anxieux et craintifs et qu'ils ont besoin d'être rassurés. Ou alors, c'est qu'ils sont habitués à avoir beaucoup d'affection et qu'ils en veulent de plus en plus. C'est très agréable que votre chien vous pousse la main avec sa tête pour avoir une caresse, ou qu'il s'étende près de vous quand vous vous relaxez, mais personne n'aime être traqué par une « ombre » canine qui ne peut pas supporter une minute d'être seule.

C'est assez simple d'apprendre aux chiens d'être moins exigeants, mais il vaut mieux comprendre d'abord ce qu'ils veulent vous dire quand ils s'accrochent à vous.

Je me sens en insécurité. Même le chien le plus indépendant a peur de certaines choses – du tonnerre, par exemple, ou du bruit des pétards – ce qui lui fait rechercher votre protection. C'est normal de rassurer un chien effrayé, mais il ne faut pas non plus en faire trop, sinon il va croire qu'il y avait vraiment de quoi s'inquiéter, ou alors il va prendre l'habitude

Ce jeune Berger belge saute vers son maître pour obtenir son attention, ce qui est normal si cela se produit de temps à autre, mais il y a des chiens qui ne laissent jamais leur maître en paix. C'est dans ces cas-là que vous devez essayer de comprendre ce qui motive une telle exigence.

de se tourner vers vous dès que quelque chose le rendra nerveux.

« Ne faites pas trop de démonstrations d'affection, sinon votre chien va penser qu'il a raison d'avoir peur, dit Robin Kovary. Et vous ne ferez que renforcer sa peur ».

Plutôt que de vous contenter de le réconforter, Robin Kovary recommande une approche plus active. Pensez à tout ce qui fait une peur bleue à votre chien : coups de tonnerre ou pétards, mais parfois aussi le bruit d'un journal que l'on plie. Trouvez le moyen d'exposer votre chien, à petites doses, à ce qui provoque sa peur.

Il est possible, par exemple, de vaincre la peur d'un chien effrayé par l'orage en lui faisant écouter, à un volume très bas, des enregistrements de coups de tonnerre, et en le récompensant tant qu'il reste calme et détendu. L'idée est de faire diminuer progressivement le « facteur peur » en passant les enregistrements chaque jour un peu plus fort. Si votre chien devient nerveux, réduisez le volume. Mais tant qu'il reste calme, continuez à le féliciter et à le récompenser. Si vous le faites lentement – cela peut prendre des mois d'« exposition » quotidienne – il réagira probablement mieux et exigera moins souvent votre attention.

Je veux commander. « Si un chien a tendance à être arrogant dans diverses situations, le fait qu'il exige votre attention peut indiquer qu'il veut diriger, » dit Pat Miller. Votre chien doit apprendre à mériter toute l'attention que vous lui donnez. Par exemple, s'il veut être caressé, il est conseillé de lui dire de s'asseoir ou de se coucher avant de recevoir de chaleureuses caresses. Il est préférable aussi que les séances de câlins soient brèves. Il apprend ainsi à se détendre et à être moins autoritaire.

Je m'ennuie. Les chiens qui n'ont pas grand-chose à faire demandent parfois notre attention simplement parce qu'ils ne voient pas comment s'occuper. Par exemple, si vous travaillez, chez vous, sur votre ordinateur et qu'au bout de plusieurs heures votre chien commence à vous donner des petits coups de museau insistants, cela peut vouloir dire qu'il est fatigué de rester allongé là.

On ne peut pas demander aux chiens de se distraire toujours tout seuls, dit Pat Miller. Les chiens sont sociables, et ce qu'ils désirent par-dessus tout, c'est passer du temps avec vous. Ce qui ne veut pas dire que vous devez accéder à toutes leurs demandes, mais vous devez penser à garder du temps pendant lequel vous leur donnerez toute votre attention. Tant que vous les emmenez en balade ou que vous jouez avec eux 30 ou 40 minutes par jour, et que vous ne les laissez pas vous entraîner à vous occuper d'eux entre-temps, ils apprennent à attendre « leur » moment.

Quémander de la nourriture

Il n'y a pas un seul chien sur la planète qui ne fasse pas pression pour obtenir par-ci par-là un petit extra alimentaire. Mais les chiens qui mendient sans arrêt de la nourriture, ou qui la volent dès que tout le monde a le dos tourné, ne font pas simplement preuve de gourmandise, ils veulent aussi vous dire quelque chose.

J'ai faim. Il est difficile de croire qu'un chien qui s'attaque à un ou deux bons repas par jour puisse consacrer tant d'énergie dans le but de s'octroyer des extras. Mais chaque chien a besoin d'une quantité de nourriture différente et il est possible que votre chien soit tout simplement affamé. Vous pouvez essayer de repousser d'une heure ou deux le moment où il mange, ou de lui donner sa quantité de nourriture habituelle en trois ou quatre fois. Les chiens sont souvent plus contents d'avoir plusieurs petits repas qu'un seul plus important.

Un chien qui quémande de la nourriture veut souvent dire : « j'ai envie qu'on s'occupe de moi ». Caressez-le au lieu de lui donner des friandises, et il s'arrêtera sans doute de mendier.

Regarde-moi. Les chiens, comme les gens, développent parfois une relation bizarre avec la nourriture. Dans leur esprit, c'est le symbole de l'amour et de la camaraderie, et ils mendient quelque chose à manger quand ils veulent vraiment qu'on s'occupe d'eux. « Ne donnez jamais de nourriture à votre chien quand vous êtes à table, dit Shirley Thomas. Sinon, il va comprendre qu'il peut obtenir un ou deux morceaux en vous harcelant pendant que vous mangez. Et si vous récompensez cette attitude, vous risquez de donner à votre chien une habitude pénible ».

Il existe une technique toute simple pour décourager les chiens de s'approprier la table pendant le repas. Choisissez un endroit où vous voulez que votre chien s'installe pendant que vous mangez, dans un coin de la salle à manger ou dans une autre pièce. Il faut que vous puissiez le voir pendant le repas. Mettez-lui une longue laisse, conduisez-le à l'emplacement choisi et donnez-lui une friandise. Shirley Thomas affirme que si vous faites cela tous les jours, il apprendra que la meilleure formule pour obtenir de la nourriture est d'aller à cet endroit-là de son plein gré.

« Une fois que votre chien va à sa place quand vous le lui ordonnez, apprenez-lui à rester couché, » précise-t-elle. L'ordre « couché » peut paraître compliqué, au début, mais voici un moyen facile de le lui apprendre : mettez une friandise à la hauteur de ses yeux, puis faites descendre votre main vers le sol en l'éloignant de lui. Il va la suivre des yeux et se coucher automatiquement. « Donnez-lui la friandise, dites-lui de rester là, puis allez vous asseoir, et prenez votre repas dans des conditions agréables ». Au début, vous vous lèverez deux ou trois fois pour le récompenser de rester tranquille. Mais une fois qu'il aura compris que la nourriture vient à lui, il sera très content de rester à sa place et il ne viendra plus vous bousculer pour obtenir ce que vous êtes en train de manger.

J'en ai assez de mon menu. La plupart des chiens se régalent chaque jour avec la même nourriture, mais certains se lassent d'avoir toujours la même chose, surtout quand ils sentent des odeurs de cuisine plus intéressantes.

Il est normal de varier de temps en temps leur nourriture, mais pour éviter un trop grand changement de régime, faites-le progressivement en ajoutant la nouvelle nourriture ou le nouvel arôme à celui qu'il connaît, dans des proportions de plus en plus importantes, pendant une semaine environ. Essayez de mélanger de la nourriture humide avec des croquettes. Ou bien, ajoutez de l'eau dans la nourriture sèche de

Les chiens aiment se mettre sur les canapés, qu'ils acceptent de partager avec leur famille humaine. Ce chien croisé de Labrador, installé à un endroit stratégique, peut observer plus facilement ce qui se passe.

votre chien pour faire une sauce. Le fait de réchauffer légèrement sa nourriture peut aussi stimuler ses papilles. La nourriture chaude libère davantage son odeur, et c'est l'odeur plus que le goût qui plaît aux chiens.

Grimper sur les meubles

Les chiens aiment le confort, et une chaise moelleuse ou un lit à couette est bien plus agréable, pour dormir sur ses deux oreilles, que la dureté du plancher. Mais ce n'est pas seulement pour le confort que les chiens s'installent sur les lits et les canapés. De leur point de vue, les endroits confortables occupés par les humains sont des positions de pouvoir, ce qui les rend, de loin, plus attractifs qu'un sac en jute sur le plancher. Ceci explique pourquoi les chiens, aussi confortablement installés soient-ils, se glissent souvent sur le canapé ou se faufilent dans votre lit tard dans la nuit. Que tentent-ils de vous raconter ?

Je veux observer ce qui se passe. Jamais le credo de l'entrepreneur en bâtiment (trouver un bon emplacement) n'aura un écho aussi pertinent que chez les chiens. Ils aiment savoir ce qui se produit autour d'eux et participer, même s'ils ne sont que des spectateurs silencieux. Contrairement à leur propre lit, qui est généralement installé en dehors du passage, les canapés et les fauteuils bien rembourrés occupent des emplacements de premier choix et offrent d'excellents points de vue pour suivre les événements. En outre, les meubles sont en principe assez hauts, et pour les chiens, les positions élevées correspondent à un statut élevé.

Quand un chien s'est approprié un meuble, il est parfois très difficile de le persuader d'aller dormir

Testeurs de lits pour chiens

Les chiens s'en remettent à leurs amis humains pour avoir un endroit confortable où dormir. Mais les humains ont un gros désavantage : comment peuvent-ils savoir quel genre de lit les chiens préfèrent ?

Les docteurs Foster et Smith, consultants pour une grande entreprise de fournitures pour chiens, ont trouvé une solution remarquable de simplicité : ils interrogent les chiens eux-mêmes. « Nos employés emportent chez eux des lits pour chiens et des chutes de tissus et les testent avec leurs propres chiens », explique Candy Besaw, porte-parole de l'entreprise. « Ils peuvent ainsi voir si l'article leur plaît, et en particulier le tissu avec lequel le lit est recouvert ».

Le chien de Candy, un Fox terrier au poil bouclé qui s'appelle Linus, est devenu légendaire à cause de sa longévité dans l'entreprise, pour laquelle il a testé des lits pendant la majeure partie de ses 21 années de vie.

Linus et d'autres chiens adultes préfèrent les lits en mousse épaisse, dans lesquels il est facile d'entrer et de sortir. « De nombreux chiens âgés ont de l'arthrite, et les lits en mousse sont pratiques pour leurs membres douloureux », explique Candy. D'autres chiens ont des choix différents. « Les très petits chiens semblent aimer les petits lits de forme ovale, genre berceau, qui ont des parois hautes et moelleuses », dit Candy. « Les plus gros chiens, eux, préfèrent les grands coussins parce qu'ils peuvent s'y étirer de tout leur long ».

ailleurs. Vous pouvez utiliser des produits repoussants, qui d'ailleurs ne produisent pas toujours beaucoup d'effet, mais les dresseurs conseillent plutôt de recouvrir pendant quelques jours les places favorites de votre chien avec des livres ou d'autres objets formant obstacle, tout en lui donnant en même temps un lit plus confortable installé dans un endroit privilégié, à côté de votre lit, par exemple, ou au centre de la pièce pour qu'il puisse regarder autour de lui.

Je croyais que j'avais le droit ! Les gens ne l'admettent pas toujours, mais les dresseurs ont compris que les chiens qui accaparent les lits sont en général encouragés furtivement par un membre de la famille. Vous pouvez toujours répéter à votre chien de descendre du lit, il va y rester si quelqu'un d'autre l'encourage en cachette.

Les chiens apprennent plus facilement quand tous les gens avec lesquels ils vivent leur envoient des messages logiques. À partir du moment où toute la famille s'est mise d'accord pour les empêcher de grimper sur les lits et pour les chasser immédiatement s'ils y sont déjà, les chiens décident en principe qu'ils ont intérêt à accepter joyeusement un lit bien à eux, et tout aussi confortable.

Comportement destructeur

Les chiots peuvent passer des heures entières à ronger à belles dents des chaussures, des pieds de table, ou à mettre des vêtements en lambeaux, en partie pour faire leurs dents – ils se sentent mieux quand ils rongent – et en partie parce que c'est amusant et qu'ils n'ont pas encore appris à faire la différence entre une

Ce Vizsla s'amuse pendant des heures avec un cube. Quand il est très occupé, il est moins enclin à saccager la maison pour se divertir !

vieille lanière et vos chaussons neufs. La plupart des chiots font leurs dents entre leur quatrième et leur huitième mois.

Cependant, si ce comportement est normal chez les chiots, il est problématique chez les chiens adultes. Ils veulent probablement exprimer :

Qu'est-ce que je pourrais bien faire d'autre ? Les chiens s'attaquent souvent aux affaires de leur maître parce qu'ils n'ont rien de mieux à faire, affirme Robin Kovary. C'est particulièrement courant chez ceux qui sont souvent seuls. Ils s'ennuient et cherchent à faire quelque chose qui les excite. Et le fait de ronger est un très bon divertissement.

J'ai peur de rester seul. Les chiens sont des animaux sociables qui n'aiment pas être seuls. La plupart arrivent à s'y faire, mais certains deviennent très agités, et ils se mettent à ronger n'importe quoi ou à avoir d'autres comportements destructeurs pour lutter contre leur sensation de solitude et de peur. « Vos vêtements et vos affaires gardent votre odeur », dit Robin Kovary. « Votre chien se sent moins seul, plus près de vous en les mordillant et en inhalant un peu de votre odeur ».

Sans prendre la peine de savoir ce qui incite votre chien à ronger vos affaires, ce n'est en général pas si compliqué de lui faire perdre cette habitude, dit Shirley Thomas. La meilleure solution est probablement de lui acheter quelques jouets à ronger – à condition, naturellement, qu'ils soient plus tentants pour lui que vos propres affaires. « Un des meilleurs jouets que vous puissiez acheter est un cube en caoutchouc dur, pratiquement indestructible. S'il est creux à l'intérieur, vous pourrez le remplir de friandises pour le rendre encore plus attirant ». Quand les chiens prennent le jouet entre leurs mâchoires, des morceaux de nourriture s'en échappent de temps en temps.

Avec la promesse de la nourriture, les chiens peuvent s'occuper joyeusement pendant des heures, et quand ils jouent avec leurs propres jouets, il est rare qu'ils continuent à être aussi intéressés par vos affaires.

Mais les jouets ne sont pas suffisants pour que les chiens dépensent leur énergie. Un exercice quotidien est indispensable, dit Shirley Thomas. En général, les chiens qui se fatiguent en se promenant ou en courant ne s'ennuient pas et ne se sentent pas seuls. « Un chien fatigué se comporte bien », conclut Robin Kovary.

Accueils turbulents

Presque tous les chiens sont excités quand quelqu'un vient chez eux, mais certains dépassent la mesure. Ils se mettent à tourner en rond, aboient à s'en arracher la gorge ou sautent le plus haut possible en laissant les petites empreintes de leurs pattes sur les vêtements. Même les gens qui aiment les chiens n'apprécient pas un accueil aussi exubérant, ni l'intrusion de museaux inquisiteurs à des endroits embarrassants.

Excepté l'heure des promenades et des repas, les moments exaltants sont rares dans la journée de la plupart des chiens, et il n'est donc pas surprenant qu'ils soient dans tous leurs états quand des visiteurs arrivent et apportent un peu d'animation. Il est facile d'apprendre aux chiots à accueillir les gens convenablement, mais quand il s'agit de chiens adultes, c'est déjà plus compliqué. Non seulement ils sont ancrés dans leurs

Ce Golden retriever a appris à s'asseoir quand son maître accueille quelqu'un. Il peut ensuite flairer la main de la personne une fois qu'elle est entrée dans la maison, en récompense de sa bonne conduite.

BAISER HUMIDE

Alors qu'il est normal d'embrasser quelqu'un sur la joue pour lui dire bonjour, un coup de langue donné par votre chien peut créer un froid entre vous et les personnes qui viennent vous voir.

« Un chien qui lèche signale souvent un comportement de soumission ou de sollicitation », explique Steve Aiken. « En nous léchant, il reconnaît probablement que nous sommes ses leaders ».

Quand les chiens adultes se rencontrent, le plus soumis peut accueillir l'autre en lui poussant le museau et parfois en le léchant autour des babines, explique Linda Goodloe, spécialiste du comportement animal.

« Quand il donne une légère tape sur les babines de l'autre ou qu'il lui lèche les babines, il fait preuve d'un comportement pacifiste », dit-elle.

Quelquefois, les chiens lèchent pour demander de la nourriture. Quand une louve retrouve ses petits après la chasse, ils lui lèchent le museau pour l'encourager à régurgiter pour eux ce qu'elle vient d'avaler. Heureusement, chez les chiens domestiqués, le fait de lécher est plus un signe de respect qu'une quête de nourriture.

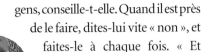

habitudes, mais ils ont en général d'autres raisons de faire un accueil frénétique. En effet, ils pensent probablement :

Je suis moi-même. Pour les gens, l'accueil le moins acceptable que puisse faire un chien est de fourrer son nez froid à un endroit intime. Mais c'est quelque chose que les chiens font naturellement entre eux, aussi ne comprennent-ils pas pourquoi les gens sont si mal à l'aise. C'est une situation que les chiens et les gens ne peuvent pas apprécier de la même façon sans avoir une petite formation, explique Robin Kovary. Il ne faut jamais laisser votre chien mettre son nez dans les vêtements des

Cet Épagneul breton est surexcité quand des gens viennent chez lui. Pour le calmer, sa maîtresse lui passe une petite laisse avant qu'ils n'arrivent et le récompense s'il se comporte bien.

gens, conseille-t-elle. Quand il est près de le faire, dites-lui vite « non », et faites-le à chaque fois. « Et quand il s'assoit sagement, vous pouvez satisfaire sa curiosité en le laissant renifler les mains de vos invités », ajoute-t-elle.

Je suis ambivalent à ce sujet. Les chiens sont encore plus excités quand ils ne savent pas trop que penser de l'invité qui arrive, dit Robin Kovary. D'un côté, ils sont heureux et impatients de l'accueillir. Mais en même temps, ils se demandent comment cet inconnu va s'intégrer dans le groupe, et ils ne savent pas très bien comment réagir. Ils font alors preuve de comportements très variés – ils sautent, aboient, etc. – afin de « tester » la réaction de la personne en question.

Une solution consiste à distraire votre chien quand les invités arrivent. Vous pouvez le faire notamment en lui ordonnant de se coucher immédiatement. En adoptant un ton de commande, vous détournerez son attention sur vous. Quand il fait ce que vous lui demandez, récompensez-le, ajoute Robin Kovary. Il ne lui faudra pas longtemps pour apprendre qu'en agissant calmement et en vous obéissant, il obtiendra quelque chose de bon à manger. Bien entendu, il attendra encore plus impatiemment que d'autres personnes vous rendent visite, mais il saura aussi qu'un accueil agréable lui apporte

COMMENT VOUS PRÉSENTER

La plupart d'entre nous a appris à dire bonjour aux chiens en tendant les mains vers eux, les paumes en bas, pour qu'ils les flairent. C'est une bonne approche, mais certains spécialistes pensent qu'il vaut mieux tourner les paumes vers le haut.

« Les paumes de vos mains émettent une charge électrique positive, alors que le dos en émet une négative », dit Wendy Volhard. Or, explique-t-elle, une charge positive attire les chiens tandis qu'une charge négative les repousse.

AU SECOURS !

Personne n'aime trouver des souillures sur la moquette ou des flaques dans la cuisine, mais ces « accidents » peuvent parfois se produire quand il y a un chien à la maison. Cependant, il n'est pas normal qu'un chien qui s'est toujours contrôlé se mette subitement à salir partout, et recommence.

C'est souvent le signe qu'il a des problèmes de santé, dit Christine Wilford, vétérinaire. Les chiens qui ont des infections urinaires, par exemple, sont souvent obligés d'uriner plusieurs fois par heure, et si vous n'êtes pas là pour les faire sortir, ils font ce qu'ils ont à faire. Parmi les autres causes possibles de ce genre de problèmes, il y a le diabète, les calculs ou encore un dérangement intestinal. Si ces accidents se produisent rarement, il est assez peu probable qu'ils indiquent des problèmes sérieux, mais il est préférable d'appeler le vétérinaire si votre chien ne retrouve pas un comportement normal en quelques jours.

pour que ses pattes puissent s'élever de plus de plus de sept ou huit centimètres au-dessus du sol », dit Shirley Thomas. « Il n'y aura plus de risque qu'il saute sur les invités ou qu'il se mette à les renifler ».

Les problèmes causés par l'accueil que votre chien réserve à vos invités peuvent être gênants, parce que vous ne pouvez pas les régler en privé : vous êtes en effet obligé de dresser votre chien au moment où vous devriez vous occuper de vos invités. Mais cette petite gêne disparaîtra vite, surtout si vous demandez à vos amis de se joindre à vous. « Placez un sac de friandises devant la porte d'entrée, à l'extérieur, et posez un papier sur lequel vous aurez écrit : Vous pouvez donner quelques friandises à notre chien – mais seulement s'il est assis quand vous entrez », suggère Shirley Thomas. La plupart des gens s'empresseront de coopérer, et votre chien apprendra de plus en plus vite, dans la mesure où les gens seront de plus en plus nombreux à participer.

Souiller la maison

En général, les chiens sont propres dès qu'ils sont âgés de quelques mois, et une fois qu'ils connaissent le règle-

davantage de récompenses qu'un comportement farfelu.

Il y a des chiens qui captent immédiatement le message, mais les autres ont besoin d'un peu d'entraînement. Shirley Thomas recommande de mettre une laisse d'un mètre quatre-vingt environ avant l'arrivée des invités. Quand ils sont là, vous pouvez soit poser le pied sur la laisse, soit la replier dans vos mains. « Ainsi, il n'aura pas assez de longueur de laisse

Il est rare que les chiens adultes fassent leurs besoins dans la maison, à moins qu'ils n'aient un problème. Mais les chiots ont parfois du mal à attendre de sortir.

ment, ils font leur possible pour arriver à temps à leur endroit favori. Pourtant, il arrive parfois que les chiens ayant en temps normal une conduite parfaite à cet égard se relâchent dans un endroit interdit. Il ne s'agit pas véritablement d'« accidents » car les chiens adultes savent qu'ils sont censés aller dehors. En fait, ceux qui font leurs besoins dans la maison essaient, invariablement, de vous communiquer quelque chose.

Je ne pouvais plus attendre. Même les chiens délicats et bien élevés ont leurs limites. À moins d'avoir une porte prévue spécialement pour leurs allers-et-venues, ils ne peuvent pas sortir quand ils éprouvent un besoin naturel. Quand vous partez toute la journée ou que vous travaillez tard le soir, il n'est pas réaliste d'espérer qu'ils vont attendre, dit Mike Richards, vétérinaire.

Il dit que pour la plupart des chiens, une durée de douze heures est un grand maximum. Quand vous devez être à l'extérieur plus longtemps, la seule solution est de vous arranger autrement, de demander à un voisin de sortir votre chien, par exemple, ou d'engager une personne qui s'en occupera une fois par jour.

C'est moi le chef, et en voici la preuve. Pour les chiens, le fait d'uriner représente davantage qu'un soulagement. C'est aussi leur façon de délimiter leur territoire et d'établir leur statut dans la famille. C'est la raison pour laquelle, quand quelqu'un prend un second animal, le plus ancien commence à uriner à des endroits stratégiques.

Cela peut prendre deux semaines, parfois plus longtemps, pour que les deux chiens se sentent à l'aise avec le nouvel arrangement, dit Sandy Myers. Vous pouvez accélérer les choses en renforçant l'ordre hiérarchique naturel. Montrez votre préférence au « top » chien – qui est normalement, quoique pas

toujours, celui qui était là le premier. Nourrissez-le avant l'autre, et accordez-lui votre plus grande attention. Quand il sentira que son statut dans la famille est assuré, il sera beaucoup moins enclin à le défendre, explique Sandy Myers.

Je vénère le sol sur lequel tu marches. Quand votre chien se roule sur le dos au moment précis où vous arrivez, et qu'il se met ensuite à uriner sur le sol, ce n'est pas parce qu'il oublie son éducation ou qu'il veut se comporter mal, c'est en fait tout le contraire. « Il fait preuve d'une immense politesse », explique Robin Kovary. Il vous dit : « je sais que tu es mon chef et je ferai tout ce que tu voudras. » Cela s'appelle la miction de soumission, et c'est très fréquent chez les chiens, ajoute-t-elle. Mais ce n'est pas bon signe car cela prouve que le chien est très anxieux ou intimidé. Tout ce que vous pouvez faire, c'est tenter de le rassurer. Il y a différentes façons d'y parvenir. Par exemple, ne restez pas debout en le regardant de toute votre

Ce Labrador retriever reçoit beaucoup de félicitations de son maître quand il répond vite à ses ordres, ce qui renforce son comportement obéissant.

Les chiens se laissent facilement distraire par toutes les choses excitantes qui les entourent, ce qui ne les aide pas à être attentifs.

hauteur quand vous rentrez à la maison. Au contraire, mettez-vous à genoux et dites-lui bonjour à un niveau plus « égal », suggère Shirley Thomas. C'est aussi une bonne idée d'éviter le contact visuel pendant un moment, car cela intimide certains chiens.

Un comportement extrêmement soumis n'est pas facile à corriger, car il peut être une part intrinsèque de la personnalité du chien. Si les changements simples que vous apportez ne sont d'aucun secours, il est préférable d'appeler le vétérinaire ou un dresseur pour obtenir de l'aide.

Ignorer les ordres

Nous avons tous tendance, parfois, à être en désaccord avec les autres, et les chiens sont comme nous. Mais il leur arrive d'ignorer délibérément les requêtes de leur maître. En voici quelques raisons :

Je ne comprends pas. Si vous ne donnez pas un ordre correctement, vous créez la confusion. « Si vous n'êtes pas clair, bref et logique, votre chien risque de ne pas comprendre ce que vous attendez de lui », dit Greg Strong, dresseur.

« Il y a des gens qui ordonnent à leur chien de s'asseoir en prenant un ton interrogatif, comme s'ils lui demandaient son consentement. Si vous faites cela, votre chien risque bien de ne pas vous obéir », dit-il. Il conseille d'utiliser un ou deux mots brefs pour donner des ordres : « N'oubliez pas d'employer les mêmes mots à chaque fois, et d'adopter un ton différent, une voix un peu plus perchée. »

Qu'est-ce que j'aurai en échange ? Les chiens savent qu'ils sont censés obéir, mais parfois, il n'y a pas moyen de leur faire lâcher un os ou de les faire courir vers leur maître, sauf s'ils savent qu'ils vont en retirer quelque chose de bon. Dans ces cas-là, ils trouvent sans doute plus avantageux d'ignorer leur maître que d'exécuter ses ordres.

Les gens qui ne félicitent pas souvent leur chien se rendent vite compte qu'il « oublie » d'obéir, dit Robin Kovary. Elle explique que, tout comme nous, les chiens ont besoin de motivations pour continuer à travailler. Or, le travail de la plupart d'entre eux consistant à faire ce que leur maître leur demande, la récompense doit être une félicitation immédiate et enthousiaste, qu'elle prenne la forme d'une friandise, d'une caresse ou de paroles exubérantes – « tu es un bon chien ! »

J'ai peur de ce que tu vas faire si je fais ce que tu me demandes. Si tous les ordres étaient suivis de quelque chose de drôle et excitant, il y aurait beaucoup plus de chiens attentifs. Mais en réalité, des ordres tels que « viens là », ou « couché » peuvent souvent indiquer que quelque chose de désagréable va se produire, un bain, par exemple. Les chiens ont une bonne mémoire, et ils savent que deux et deux font quatre. Une fois qu'un chien a fait le rapport entre « viens là » et « bain », il est probable qu'il va vous ignorer.

C'est une bonne idée de faire suivre chaque ordre d'une action qui plaît à votre chien, affirme Robin Kovary. Cela est important si vous voulez qu'il vienne quand vous l'appelez. En fait, il vaut mieux ne jamais dire à votre chien de venir vers vous quand vous savez que vous allez faire quelque chose qu'il n'aime pas, comme le laver ou le mettre dans son panier. Dans ces cas-là, n'attendez pas qu'il vienne vers vous, allez vers lui.

On dirait qu'il y a des choses intéressantes par là ! Parfois, quand il se passe trop de choses, les chiens se désintéressent un peu de leur maître. La distraction, peut-être aussi un peu de rêverie, peuvent avoir pour résultat la désobéissance.

Je ne t'entends pas. Quand les chiens cessent soudain d'obéir aux ordres qu'on leur donne, ou n'obéissent qu'à certains moments, il est possible

qu'ils commencent à devenir sourds. Pour voir si votre chien est dur de l'oreille, mettez-vous quelques pas derrière lui et tapez dans vos mains. S'il ne réagit pas, il faut absolument l'emmener chez le vétérinaire.

Je ne suis pas obligé de t'écouter. Les chiens ont vraiment le sens de leur statut. Ils veulent savoir qui est le leader et qui ne l'est pas. S'ils ne le savent pas, ils supposent que c'est eux et ils prêtent de moins en moins d'attention à leur maître.

Vous ne pouvez pas avoir une relation solide avec votre chien si vous ne voulez pas endosser le rôle de leader. Cela implique de donner des ordres et de vous assurer qu'ils sont exécutés. Vous devez aussi faire en sorte de lui transmettre des messages logiques.

Ne le laissez pas se comporter comme un sale gosse ou avec agressivité. Et quand il veut quelque chose, assurez-vous qu'il va d'abord le mériter en exécutant un ordre que vous lui avez donné.

Les chiens sont un peu comme les enfants, dans le sens où ils découvrent rapidement nos faiblesses. Beaucoup de gens, par exemple, disent « viens » à leur chien sans espérer vraiment qu'il va venir tout de suite, et le chien n'a certainement pas envie de se précipiter. Alors, ils répètent « viens », deux fois, trois fois, mais le chien ne bouge toujours pas parce qu'ils lui ont appris, par inadvertance, que c'est normal qu'il ne fasse pas attention à eux. La seule façon d'éviter cela, conseille Shirley Thomas, c'est de donner uniquement les ordres que vous êtes capables de faire exécuter, et que vous voulez voir exécutés.

À l'évidence, ce Schnauzer considère que c'est son devoir d'emmener sa maîtresse faire une promenade. Un des moyens les plus simples d'inverser la situation est de faire subitement demi-tour et de marcher dans l'autre sens. Cela forcera votre chien à vous suivre plutôt qu'à vous guider.

Ce chien croisé de Berger allemand a le temps de voir de plus près ce qui l'intéresse quand il sort avec son maître. Ainsi, il est moins tenté de tirer sur sa laisse.

Tirer sur la laisse.

Nous avons tous vu des personnes filer derrière leur chien, qui semblait vraiment les emmener en promenade, plutôt que le contraire. Les chiens qui tirent constamment sur leur laisse peuvent transformer une promenade agréable en un marathon qui vous arrache l'épaule. Il est important de découvrir pourquoi votre chien tire sur sa laisse pour trouver la bonne solution.

Ici, c'est moi le chef. Les chiens qui tirent sur leur laisse se sont mis en tête de tout contrôler à votre place. Cela se produit habituellement chez les gens qui n'ont pas clairement établi que ce sont eux, et non leur chien, qui mènent la barque.

Il faut que je vérifie ça. Du point de vue d'un chien, tout ce qui est nouveau est intrigant et tout ce qui est intrigant vaut la peine d'être approfondi. Les chiens voient des choses, entendent des bruits qui ne présentent aucun intérêt pour nous, mais qui sont de véritables aimants pour eux.

Il faut que j'attrape ce chat. Certains chiens se mettent à tirer sur leur laisse à chaque fois qu'ils aperçoivent un animal plus petit qu'eux. Les chiens étaient autrefois des prédateurs, et leur instinct les pousse à réagir à ce qui bouge en allant voir eux-mêmes.

Allons droit au but. L'enthousiasme n'est pas une réaction typiquement humaine. Quand les chiens comprennent qu'ils vont rencontrer quelque chose d'excitant, ils tentent d'arriver plus vite en tirant sur leur laisse.

Je suis tellement excité. Les chiens qui ne se promènent pas régulièrement sont tellement excités quand ça leur arrive qu'ils n'arrêtent pas de tirer sur leur laisse. Le moyen d'éviter cela est de les emmener tous les jours en balade.

Si c'est difficile, débrouillez-vous pour qu'un ami, un voisin ou une personne qui s'occupe professionnellement des chiens l'emmène promener à votre place. Ainsi, votre chien ne sera pas aussi énervé et sera moins enclin à tirer comme un fou.

Quelle que soit la raison pour laquelle ils agissent ainsi, le message sous-jacent est le même : ce qui se passe autour d'eux ou ce qu'ils ressentent à ce moment-là est bien plus urgent que de s'inquiéter de vous.

Pour réduire leurs penchants à tirer sur leur laisse, il faut les distraire de ce qui capte leur attention et les faire se concentrer sur vous et vous seul.

Il y a un moyen facile d'y parvenir, ajoute-t-elle. « Si votre chien fonce devant vous pendant que vous marchez, faites demi-tour et marcher dans la direction opposée. Cela l'étonnera, et les chiens n'aiment pas ce genre de surprises, en général ».

Après quelques semaines passées à soumettre votre chien à ces demi-tours inattendus, il commencera à faire attention à vous pour ne pas être surpris la fois suivante.

CINQUIÈME PARTIE

LA MISE EN PRATIQUE

Le fait de savoir comment les chiens communiquent – entre eux et avec nous –
nous procure une marge fantastique pour comprendre ce qu'ils essaient de
dire. Vous pouvez utiliser leur langage, qui inclue non seulement l'ouïe mais
aussi le toucher et l'odorat, pour créer un lien plus étroit
avec eux et les aider à se conduire un peu mieux.

CHAPITRE VINGT

INSTRUIRE VOTRE CHIEN

Les chiens adorent apprendre des choses nouvelles,
ce qui les rend plus sociables, les occupe
et leur permet de se sentir utiles.

Les chiens sont capables de faire des choses vraiment ahurissantes : retrouver des personnes qui se sont perdues, guider des aveugles, entendre à la place des sourds. Ils peuvent détecter la drogue et les explosifs. Ils ont même été utilisés pour empêcher les avions de tomber.

Malheureusement, il y en a également dont les capacités ne sont pas aussi utiles. C'est le cas du Colley barbu qui trouve très amusant le fait d'aboyer après les camions de livraisons, ou du Berger allemand qui construit des tours dans le jardin avec des boîtes de nourriture pour chats qu'il a chipées dans le placard de la cuisine, ou encore du Springer épagneul, qui a appris à ouvrir le réfrigérateur et qui mange tout ce qui s'y trouve.

Les chiens de ces deux catégories sont intelligents et doués, capables de réaliser des tâches complexes. La différence, c'est que ceux de la première catégorie ont appris, par des humains, à faire des choses que nous trouvons utiles, alors que ceux de la seconde catégorie, n'ayant pas été éduqués, ont appris tout seuls à faire des choses qu'ils croient utiles. Naturellement, leur maître risque d'avoir une opinion quelque peu différente au sujet de ce qui est utile et de ce qui ne l'est pas.

Les chiens ont besoin d'activité, et ce chien croisé de Golden retriever trouve beaucoup de plaisir à aller chercher le journal tous les matins.

Pourquoi les chiens ont-ils besoin d'être éduqués ?

Quand on voit que les chiens roupillent la plus grande partie de la journée, on a du mal à croire qu'ils aiment l'activité. Pourtant, dans chaque chien se cache un besoin instinctif de faire une bonne journée de travail. « Les chiens n'ont jamais été élevés pour être seulement nos copains », dit Deborah Loven Gray. Au contraire,

pendant des milliers d'années, ils ont effectué des tâches spécifiques : chasser, rapporter le gibier, garder les troupeaux, ou autres. « Et ceux qui sont de races croisées peuvent réaliser plus d'un de ces travaux ».

Mais quelle que soit leur race, les chiens ont un besoin génétique d'être actif toute la journée, chaque jour. S'ils ne sont pas occupés à faire quelque chose, n'importe quoi, ils s'ennuient vite. Et quand ils s'ennuient, ils recherchent n'importe quelle forme de distraction, et il est rare que leurs idées, dans ce domaine – ronger les pieds des meubles, creuser un trou dans le jardin, ou aboyer à la fenêtre toute la journée – soient les mêmes que les vôtres.

Bien que la plupart des chiens ne soient jamais formés pour travailler avec la police ou avec des équipes de secouristes, une formation de base – aussi simple que de leur apprendre à s'asseoir ou à marcher en laisse – leur donne un but. Plutôt que de s'ennuyer ou d'être frustrés, ils sont excités et satisfaits d'avoir un travail, et ils font leur possible pour faire plaisir à leur maître. Les chiens ont aussi besoin d'être formés car ils voient la vie d'une façon que les gens ont du mal à comprendre. Ce qui leur vient naturellement à l'esprit est tout à fait déplacé pour les humains avec lesquels ils vivent. Dans leur monde, par exemple, il est normal qu'un chien défende sa nourriture en grognant ou en mordant un intrus, dit Pat Miller, dresseur. Cependant, ce comportement n'est pas toléré chez les humains. Dresser un chien est le seul moyen de l'aider à comprendre ce que l'on attend de lui et ce qu'il a, ou n'a pas, le droit de faire.

Le chien de 58 000 dollars

Parmi toutes les choses extraordinaires que les chiens sont capables de faire, il n'y en a pas une qui soit plus époustouflante que le fait d'empêcher un avion de s'écraser. Pourtant, c'est précisément ce que Jackie, un Border collie âgé de cinq ans, fait chaque jour.

Jackie vit et travaille sur une base aéronavale . Avant son arrivée, la base se débattait avec un problème commun à de nombreux aéroports : les collisions entre les oiseaux et les avions. Les oiseaux qui causaient des ennuis étaient des oies sauvages. Pendant 5 ans, des collisions répétées entre des avions et des oies avaient provoqué des dommages considérables, qui coûtait déjà beaucoup d'argent. Malgré quelques très bonnes idées pour tenter de résoudre le problème, incluant des feux d'artifice, des tirs de canons à eau sur les oies, et la diffusion d'enregistrements d'oiseaux en détresse, les oies restaient difficiles à éviter, jusqu'à ce que Jackie soit recrutée.

À l'origine, les Border Collies étaient élevés pour garder les moutons, mais la mission de Jackie est de chasser les oies loin des pistes de la base. Chaque fois que quelqu'un, de la tour de contrôle, aperçoit des oies dans le voisinage, un contrôleur de l'air fait un appel radio à la caserne des pompiers, où vit Jackie. C'est à partir de là que l'action commence vraiment. Jackie est emmenée vers les oies puis elle est libérée. « Jackie essaie de réunir les oies comme elle ferait avec des moutons », raconte Dave Bumm, un des maîtres-chiens. Mais les oies, à l'inverse des moutons, s'envolent. Ce qui est parfait pour la protection des avions, mais qui laisse toujours Jackie un peu frustrée. Alors, pour qu'elle soit heureuse, Bumm et les autres maîtres-chiens la félicitent longuement et jouent au ballon avec elle quand ils sont de retour à la caserne.

Depuis plus d'un an que Jackie fait ce travail, il n'y a pas eu de collision. Il y en avait eu trois pendant les 18 mois qui avaient précédé son arrivée.

Donner des indications claires

La plupart des chiens aiment apprendre des choses nouvelles, il n'y a donc pas de raisons de leur donner des leçons ennuyeuses deux fois par jour. Comme les gens, les chiens assimilent plus vite et s'amusent davantage quand tous leurs sens sont sollicités.

En ajoutant à une combinaison de mots, de sonorités, de signes de la main, le toucher et d'autres formes de communication, vous pouvez enseigner à votre chien toutes les bases, et plus encore, dans un laps de temps relativement court. Après quoi vous pouvez vous servir de ses nouveaux talents pour trouver d'autres moyens par lesquels vous pourrez communiquer encore plus clairement tous les deux et construire ainsi une meilleure relation.

Les mots. Les chiens ne sont peut-être pas de fins linguistes mais ils peuvent néanmoins apprendre une variété de mots. Les mots qu'ils mémorisent le plus facilement sont ceux qu'ils associent aux choses plaisantes, positives, ce qui n'a rien de surprenant. C'est pourquoi les dresseurs recommandent de les couvrir de récompenses en les félicitant ou en leur donnant des petites gourmandises quand ils commencent à répondre aux ordres parlés. Il ne faut pas leur donner de friandises à chaque fois, mais au début, le fait de relier les mots aux friandises les aide à apprendre plus rapidement.

Les sons. Il n'y a pas que les mots auxquels les chiens réagissent. Ils ont une ouïe bien plus développée que la nôtre, et ils en dépendent beaucoup plus que nous. C'est-à-dire que des sonorités auxquelles nous ne faisons pas attention – comme la tonalité de la voix, ou un raclement de gorge pour s'éclaircir la voix – résonnent pour eux avec beaucoup de force et de clarté. Vous pouvez les utiliser, avec d'autres sonorités, comme par exemple taper dans vos mains, pour ren-

Une légère pression sur la croupe de ce Vizsla, jointe à un ordre verbal, lui signale qu'il doit rester sans bouger.

forcer des ordres vocaux ou simplement pour faire savoir à votre chien qu'il a fait quelque chose de bien.

Les mains. Les chiens répondent beaucoup plus au langage corporel qu'aux paroles, ce qui signifie que les signes de la main sont un moyen très efficace pour leur envoyer des messages. Ces signes silencieux et visuels permettent d'ajouter de l'emphase ou de renforcer la signification des mots que vous leur apprenez. En fait, vous pouvez apprendre à votre chien à répondre entièrement aux signes de la main, ce qui est pratique pour communiquer à distance, ou si votre chien devient sourd avec l'âge.

Le toucher. Les chiens sont très sensibles au contact physique, qu'il vienne d'eux ou qu'ils le reçoivent. Vous pouvez toucher votre chien simplement pour le calmer, le relaxer, et il apprendra ainsi avec plus de plaisir. Si vous l'habituez à des contacts qu'il n'aime pas, cela peut lui permettre d'être plus détendu chez le vétérinaire ou pendant sa séance de toilettage. Le contact physique peut aussi renforcer certains ordres, quand vous dites par exemple à votre chien de se tenir debout. Vous pouvez encore l'utiliser pour lui apprendre le genre de contact que vous aimez ou que vous n'aimez pas.

Le contact fonctionne dans les deux sens, évidemment, et l'apprentissage du vocabulaire qui y est lié fait partie de la formation de votre chien. Tous les chiens n'ont pas les mêmes contacts physiques, mais il y a tout de même quelques règles générales. Un museau baladeur qui se glisse dans votre main, par exemple, peut être une quête d'affection ou une invitation à jouer. Quand votre chien se frotte contre vous en passant, il vous dit probablement qu'il a besoin de tendresse, ou tout simplement : « Pousse-toi, c'est à moi de passer ! »

Les odeurs. Les chiens ont un odorat phénoménal. C'est leur principal moyen de communication, du moins quand ils sont entre eux. C'est pourquoi il est logique que nous utilisions les odeurs pour communiquer avec eux. Celles qu'ils n'aiment pas servent essentiellement à leur éducation, elles nous permettent de leur faire comprendre qu'ils doivent laisser certaines choses tranquilles – les meubles ou la poubelle. Des odeurs désagréables peuvent aussi leur apprendre à cesser d'aboyer. Nous pouvons en revanche utiliser des odeurs agréables aux chiens pour les aider à affronter des situations nouvelles, des gens nouveaux, et pour leur apporter du réconfort quand nous ne pouvons pas être à leurs côtés.

Un nez pour diagnostiquer

De nombreux chiens retraités se lancent dans un autre genre de travail à la fin de leur carrière. C'est ainsi que George, un Schnauzer qui avait été renifleur de bombes, se retrouva en train d'utiliser ses talents olfactifs pour détecter un autre type de danger.

La seconde carrière de George commença quand Armand Cognetta, dermatologue, lut un rapport médical concernant une Britannique dont le chien flairait avec insistance sa verrue, qui s'avéra plus tard être un cancer. Le docteur Cognetta se demanda si les chiens pouvaient vraiment sentir les cellules cancéreuses et, dans l'affirmative, s'ils pouvaient être formés à les détecter. Aussi s'associa-t-il avec l'entraîneur Duane Pickel, pour voir si son chien George, qui avait été lauréat d'un prix, réussirait aussi bien en reniflant une peau cancéreuse qu'en flairant les bombes pour les services de police. « Les chiens ont besoin d'avoir un but dans la vie, et George adore aller travailler et faire des choses nouvelles », dit Duane Pickel. Pour former George, Duane Pickel lui fit faire une série de tests de difficulté croissante, en commençant par lui faire rapporter des échantillons de mélanomes stockés dans des tubes à essai, puis en lui faisant détecter un échantillon cancéreux qui avait été placé sous l'un des nombreux pansements d'un volontaire. Enfin, il lui fit faire le véritable test, en lui permettant de flairer des patients qui avaient un cancer. Sur son ordre, « montre-moi », George posait une patte à l'endroit qu'il venait de renifler. Dans la majorité des cas, il était capable d'identifer des points que les docteurs avaient soupçonnés être cancéreux mais qui n'avaient pas encore été analysés.

LES ORDRES QUE TOUS LES CHIENS DOIVENT COMPRENDRE

Les chiens ont un don naturel stupéfiant pour apprendre les ordres. Les chiens bien dressés, de concours et de service sont capables d'assimiler des douzaines de commandements et d'ordres, comprenant des mots, des sons et des signaux. La plupart des chiens répondent à la voix, mais les gestes de la main et les sons autres que vocaux sont aussi très efficaces. Quelle que soit la méthode que vous retiendrez onze ordres sont suffisants pour vivre en bonne intelligence avec son chien.

Attends. Il y a des chiens qui ont tendance à filer devant vous quand vous devez passer par une porte ou par un couloir étroit. Si vous leur dites « attends », ils sauront qu'ils ne sont pas censés y aller avant que vous ne leur en donniez la permission.

Assis. C'est un des ordres les plus faciles à enseigner, et aussi l'un des plus utiles. Les chiens qui savent y obéir ne sont pas enclins à sauter sur les gens ou à se battre avec d'autres chiens, ou encore à vous entraîner à traverser la rue au feu rouge.

Ce chien croisé de Berger allemand et de Labrador a appris à rester assis, et sa maîtresse peut lui faire confiance, elle sait qu'il attend patiemment qu'elle sorte de la boutique.

Ce Shiba inu marche tranquillement aux côtés de sa maîtresse. Un chien qui sait marcher aux pieds ne tire pas sur sa laisse.

Couché. Comme « assis », l'ordre « couché » a une place importante dans l'étiquette canine. C'est aussi plus confortable que la position assise quand le chien doit attendre plus d'une ou deux minutes.

Reste là. Souvent associé à « assis » ou « couché », l'ordre « reste là » est censé calmer l'ardeur de votre chien pour un moment. Ce n'est pas le plus facile à lui faire comprendre car la plupart des chiens préfèrent aller et venir.

Au pied. Votre chien doit comprendre cet ordre, à moins que vous ne viviez dans un lieu où il n'a pas de route à traverser et où il n'a donc pas besoin d'être tenu en laisse. « Au pied », ou une variante comme « on y va », signifie qu'il doit marcher à votre gauche sans traîner derrière ni filer devant vous. Il est particulièrement important que les gros chiens comprennent cet ordre, sinon leur façon de tirer sans répit sur la laisse rend les promenades laborieuses.

« *Viens là* ». C'est un ordre crucial dans le répertoire canin. Les chiens qui le comprennent font demi-tour sur-le-champ et se précipitent vers leur maître. C'est un ordre à utiliser pour les empêcher de courir dans la rue ou de foncer sur les gens dans les parcs. Il leur apprend à revenir quand ils viennent de partir en courant.

Reste tranquille. Cet ordre est à utiliser quand votre chien s'agite pendant que vous le brossez, que vous le lavez, que vous l'examinez ou que vous le séchez au retour d'une promenade sous la pluie.

Descends. Rares sont les chiens qui ne préfèrent pas un canapé coûteux ou une couette en plumes d'oie à leur propre lit. Les chiens qui comprennent « descends » ne vont pas forcément cesser de grimper sur les lits, mais du moins vont-ils en descendre rapidement quand vous le leur ordonnerez. « Descends » leur apprend aussi à ne pas sauter après les gens.

D'accord. Les chiens adorent cet ordre. « D'accord », signifie qu'ils ont fait du bon travail, que vous cessez de leur donner des ordres, et qu'ils peuvent faire les fous pendant un moment. Cela peut aussi vouloir dire que c'est l'heure du repas.

Laisse ça. Les chiens savent ce qui est bon, et c'est un véritable défi de les convaincre d'abandonner un plat aussi fin qu'un os volé dans la poubelle, ou que vos chaussures en cuir, quand ils ne connaissent pas bien la signification de « laisse ça ». En l'entendant, ils doivent poser aussitôt ce qu'ils ont entre les dents. Cela ne leur plaît pas forcément, mais ils s'exécutent si vous leur avez appris « laisse ça » quand ils sont petits.

Au lit. Cet ordre, ou une variante comme « couché », qui signifie que votre chien doit aller à la place qui lui est réservée pour dormir, est utile, non seulement à l'heure d'aller dormir, mais aussi quand vous voulez qu'il se calme un peu.

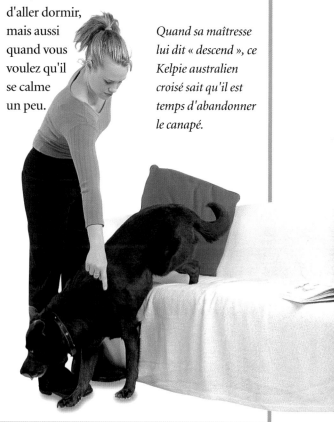

Quand sa maîtresse lui dit « descend », ce Kelpie australien croisé sait qu'il est temps d'abandonner le canapé.

CHAPITRE VINGT ET UN

CHOISIR LE NOM QUI LUI VA

Le nom de votre chien est un choix très personnel. Vous allez le prononcer pendant dix ou quinze ans, aussi est-il intéressant d'en choisir un qu'il retiendra facilement, qui vous plaise à vous et à lui, et auquel il aura du plaisir à répondre.

Quand le Président Clinton accueillit son nouveau Labrador beige chocolat à la Maison Blanche, à la fin de l'année 1997, des milliers d'Américains lui proposèrent des idées pour lui trouver un nom. Le Président hésita entre des noms aussi différents que « Arkinpaws » ou « Shoes » (Chaussures), avant de faire son choix.

Comme beaucoup de gens, le Président a compris qu'il avait mieux à faire pour trouver un nom à son chien que de sonder les idées du public.

Avant de se décider sur un nom, il y a en effet plusieurs facteurs à prendre en considération, depuis les associations personnelles jusqu'à la réaction de votre chien lui-même. Finalement, c'est exactement ce qu'a fait le Président Clinton. Non seulement le nom qu'il a choisi pour son nouveau chien – Buddy – lui rappelle des souvenirs de son oncle, qu'il aimait beaucoup, mais c'est également le nom auquel son chien a le mieux réagi.

La plupart des spécialistes pensent que le Président Clinton a bien fait en prenant le temps de choisir un nom pour son chien.

Faut-il choisir des prénoms humains ?

Beaucoup de gens aiment donner un prénom humain à leur chien. Le Président Clinton n'est

Chacun de ces chiots Labrador mérite un nom qui reflète son individualité et sa personnalité.

qu'un cas parmi tant d'autres. Il suffit de jeter un coup d'œil aux fichiers canins de chaque ville ou village pour s'en convaincre. Parmi les noms humains octroyés aux chiens, on trouve, entre autres, Max, Maggie, Molly, Pepper, Brandy, Ginger, Sam et Jake.

Les dresseurs ont des avis partagés à ce sujet. Les moines de New Skete, qui élèvent et dressent des chiens dans leur monastère et qui sont les auteurs de *Comment devenir le meilleur ami de votre chien*, ne sont pas d'accord. Selon eux, les gens qui donnent un prénom humain à leur chien pensent à lui comme à une personne et non pas comme à un animal, dit le Père Marc.

Mais la majorité des dresseurs trouvent que cela n'a aucune importance, tant que le maître et le chien apprécient tous les deux le nom choisi. « Votre relation avec votre chien est plus importante que son nom », déclare Robin Kovary.

Mais quel que soit le nom que vous lui donnez, humain ou pas, il faut qu'il soit approprié à sa race, à son sexe et à sa taille. Ainsi, vous reconnaissez le fait que votre chien est unique et qu'il a une personnalité bien distincte, ajoute le Père Marc.

Comment faire le bon choix

Nombreux sont les gens qui cherchent des noms reflétant leurs propres attentes plutôt que la personnalité de leur chien, affirme Myrna Milani, vétérinaire et spécialiste du comportement animal à Claremont, dans le New Hampshire, et auteur de *The Weekend Dog* et *Dog Smart*. Cela peut conduire à un choix assez pauvre, qui va être soit un sobriquet susceptible de faire rire les gens, soit un nom qui leur fera croire que le chien est dangereux.

Par exemple, Rambo n'est pas un bon choix pour un Pit Bull terrier car il souligne l'image agressive du chien et risque de rendre les gens craintifs à son égard, même s'il est très gentil. Quant à un nom comme Minus, c'est un mauvais choix pour un chien tel qu'un grand Danois car il ridiculise sa taille.

LES NOMS À NE PAS CHOISIR

Les chiens s'adaptent remarquablement, aussi est-il très difficile de leur choisir un nom qui va les perturber toute leur vie. Pourtant, selon les dresseurs, il y a des noms vraiment impossibles : ceux qui ridiculisent le chien, ceux qui pourraient être confondus avec d'autres mots ou avec des ordres, ou ceux qui provoquent un son que les chiens n'aiment pas. Par exemple :

Zénon : ressemble trop à « non ! »
Hélène : le chien peut le confondre avec « Hello ».
Sassy : les chiens n'aiment pas les sonorités en « s », sans doute parce qu'elles évoquent le sifflement des serpents.
Tueur : avec ce genre de nom, les gros chiens qui ont mauvaise réputation vont paraître encore plus effrayants. Et donner un nom comme celui-là à des petits chiens, tels les Caniches nains ou les Chihuahuas, est assez ridicule.
Minus : tous les chiens, qu'ils soient aussi grands qu'un cheval ou assez petits pour rentrer dans une poche, se prennent pour des gros chiens. Alors, pourquoi blesser leur amour propre ?

Il est aussi important que votre chien n'ait pas de difficultés à retenir son nom. Le Père Marc suggère de le choisir à deux syllabes, et commençant par une consonne forte, comme Kirke ou Jimmy. Votre chiot, ou votre chien, s'en souviendra plus vite. En effet, un nom à trois syllabes ou plus risque d'être un peu trop compliqué, et un nom d'une

seule syllabe ressemblera trop aux mots du langage quotidien. Mais un nom à deux syllabes sera plus facile à distinguer de tous les autres mots que votre chien entendra.

Évitez aussi de lui donner un nom qui évoque un ordre, conseille Robin Kovary. Un bon exemple est « Junon », que le chien peut facilement confondre avec le mot « non ».

Il y a un grand choix de noms, du plus simple au plus exotique. Mais voici encore quelques aspects à considérer avant de vous décider :

Observez votre chien, il vous donnera des idées. Il est toujours bon d'observer son chien pour avoir une idée du nom qu'on va lui donner, dit le docteur Milani. S'il flaire sans arrêt son environnement, un nom comme Sherlock peut être un bon choix pour votre détective canin. Pour un chien qui aime courir, Sprinter semble un nom parfaitement choisi.

Cependant, il y a une exception à ce principe. Si votre chien est un Rottweiler, un Doberman, un Pit Bull, ou s'il appartient à une autre race réputée pour son agressivité, il vaut mieux éviter de lui donner un nom à consonance dure. « Le nom pourrait finir par provoquer la réalisation de sa propre prophétie », dit Robin Kovary. Par exemple, un Rottweiler nommé Terminator qui se jette sur les gens pour les accueillir risque de provoquer l'effroi quand son nom est prononcé. Et un chien qui sent la peur peut avoir une réaction plus négative qu'elle ne serait s'il avait un nom plus doux.

Choisissez un nom qui semble plaire à votre chien. Il est important, aussi, de considérer les préférences de votre chien quand vous lui cherchez un nom. Par exemple, la plupart des chiens n'aiment pas entendre la sonorité « s », qui ressemble à un sifflement désagréable, dit le docteur Milani. Elle recommande d'essayer quelques noms ayant des sonorités différentes pour voir quel est celui auquel il réagit le mieux.

Choisissez un nom que vous aimez. Il est également important de donner à votre chien un nom que vous aimez beaucoup. Votre chien guette votre langage corporel et le ton de votre voix, et s'il sent que vous aimez prononcer son nom, il sera certainement content de vous répondre quand il l'entendra.

Préservez sa dignité. Trouver un nom à un chien n'est pas un amusement. « Les noms trop doux, ou amusants, dégradent aussi bien le chien

Que votre chien soit un Teckel ou un Danois, son nom doit être en harmonie avec sa race et sa taille. Un nom qui s'oppose à son physique peut provoquer les moqueries et le perturber.

que la relation avec son maître », dit le Père Marc. Cela peut paraître drôle, au premier abord, d'appeler votre Teckel Frank ou Wiener, mais ce nom risque de provoquer le rire et d'entraîner des problèmes. Et dans ce cas, le chien peut prendre ses distances ou avoir une attitude hésitante par rapport à la personne qui le rend perplexe en se moquant de lui, et qui peut parfois lui paraître hostile.

Des noms trop tendres ou trop sentimentaux peuvent aussi engendrer des problèmes. Un Berger allemand nommé Bébé peut coucher les oreilles ou détourner les yeux en entendant les rires que son nom risque de provoquer.

Utilisez le nom de votre chien à bon escient

Après avoir baptisé votre chien, vous devez faire en sorte d'employer son nom de manière opportune. Les gens font souvent l'erreur de prononcer le nom de leur chien quand ils sont en train de discuter. Selon le docteur Milani, si cela arrive trop souvent, votre chien risque de ne plus vous écouter et de ne plus vous répondre quand vous l'appelez. La solution est de trouver différentes façons de le nommer, en particulier quand il se trouve à portée de voix. Si vous parlez de lui alors qu'il est étendu à vos pieds, il vaut mieux dire « mon pote », ou « mon copain » que son nom.

Il est important, aussi, de ne pas le nommer quand vous le grondez, parce que votre chien répondra plus vite et plus joyeusement à son nom s'il est toujours lié à quelque chose d'agréable, comme une promenade ou une bonne chose à manger.

Ce Schnauzer nain répond joyeusement à son nom car il ne l'entend que dans les circonstances agréables, au moment où il va se promener ou quand il est félicité, mais jamais quand il est corrigé.

Quand vous voyez votre chien en train de faire quelque chose d'interdit, il est préférable de lui donner un ordre simple et bref, comme « sors de là », ou « laisse ça » pour le corriger, plutôt que de prononcer son nom d'une voix sérieuse en guise de réprimande.

Le plus important, c'est d'utiliser son nom de manière à ce que votre chien, et les autres, comprennent bien que vous le tenez en haute estime. « Les chiens ont une conscience aigüe de vos changements de ton, d'expressions faciales et de langage corporel », dit le Père Marc. « Plus un chien est intelligent, plus il est sensible aux attitudes de son maître. »

CHAPITRE VINGT-DEUX

SAVOIR DONNER DES ORDRES APPROPRIÉS

C'est vraiment très agréable d'avoir un chien bien élevé.
Mais avant de faire du vôtre un citoyen canin modèle, vous devez savoir
quels sont les ordres appropriés à lui donner, et pourquoi.

Peu de gens aiment être menés à la baguette, recevoir l'ordre de faire quelque chose sur-le-champ. Nous préférons un système d'égalité dans lequel l'opinion de chacun a le même poids. Cependant, si nous vivions dans un monde dirigé par les chiens, nous verrions les choses très différemment. L'autonomie n'intéresse pas les chiens, c'est même la dernière chose qu'ils revendiquent. Ce qu'ils désirent surtout, c'est faire partie de la famille, qu'elle soit constituée d'autres chiens ou d'êtres humains. Recevoir des ordres, du point de vue d'un chien, fait partie de cette appartenance. Cela les rassure, parce qu'ils savent ainsi exactement où se trouve leur place.

Âgée de quatre mois, cette chienne, un Terrier écossais croisé de Labrador, apprend les bonnes manières tant qu'elle est jeune, ce qui est le meilleur moment.

C'est pourquoi vous faites une faveur à votre chien quand vous lui apprenez à obéir aux ordres. Vous pouvez parfois craindre d'entraver sa personnalité, mais en réalité, il a besoin que vous lui disiez ce qu'il doit faire. En lui donnant des ordres – que ce soit simplement « assis » ou « couché », ou que vous lui demandiez de descendre du canapé – vous lui permettez de savoir exactement ce que vous attendez de lui, ce qui va vraiment le rassurer.

Paradoxalement, les chiens qui aiment bien obéir aux ordres sont en général plus libres que ceux qui n'ont aucune éducation, selon Pat Miller, dresseur. Un chien qui vient dès que vous l'appelez a plus de temps pour jouer sans sa laisse que ses copains moins obéissants. S'il ne saute pas sur les gens, il a plus de chances de rester en compagnie de vos invités. Et s'il se comporte bien, il peut rester plus longtemps avec vous, plutôt que d'être exilé dans le jardin.

Tous les chiens ont besoin de connaître quelques ordres de base. Mais donner des ordres, c'est un peu plus que dire « viens » ou « couché ». Certains ordres sont beaucoup plus efficaces que d'autres. Afin de choisir les meilleurs, il vous faut penser comme un chien pendant un instant, car votre chien n'a pas la même idée que vous d'un ordre approprié.

Des ordres précis

La plupart des chiens sont pleins de bonnes intentions. Ils veulent faire plaisir à leur maître et sont malheureux quand ils n'y parviennent pas. Alors, pourquoi y a-t-il tant de chiens désobéissants ? Dans la majorité des cas, c'est parce que leur maître ne sait pas très bien communiquer avec eux. Les chiens veulent obéir, mais ils ne réussissent pas à comprendre ce qu'ils sont censés faire. Voici quelques recettes pour accommoder vos ordres de façon à ce que votre chien les assimile.

Attirez son attention. L'une des raisons pour lesquelles les chiens se comportent mal et ignorent les ordres qu'on leur donne, c'est qu'ils ne réalisent pas que l'on s'adresse à eux. Quand vous êtes en forêt, votre chien est tellement heureux de courir et de renifler partout que si vous criez « viens là », votre appel risque de ne pas pénétrer jusqu'à sa conscience ; c'est pourquoi de nombreux dresseurs conseillent de doubler votre ordre d'un mot qui va à

Un chien qui vient toujours quand on l'appelle, comme ce Vizsla, bénéficie d'une plus grande liberté qu'un chien sur lequel on ne peut pas compter.

coup sûr attirer l'attention de votre chien : son nom.

Soyez bref. Les chiens ne parlent pas couramment le langage humain. Ils ne comprennent ni les longues phrases ni les longs développements explicatifs car ils sont incapables de discerner le mot pertinent au milieu d'un flot de sonorités. C'est pourquoi un ordre tel que « Maggie, vas-tu enfin venir là, s'il te plaît ? » ne va probablement pas provoquer autre chose qu'un regard vide. Les chiens comprennent les ordres courts, rapides, comme « assis », ou « viens ».

Soyez ferme. Instinctivement, nous sommes polis, même lorsque nous donnons un ordre. Mais cela ne fonctionne pas avec les chiens car ce qui devrait sonner comme un ordre – « Maggie, assise ! » – sonne souvent comme une question. Votre chien comprend que vous lui demandez s'il veut bien faire quelque chose, au lieu de le lui ordonner. Il ne voit donc aucune raison de s'exécuter.

Le meilleur moyen de faire savoir à votre chien que vous voulez quelque chose, et que vous le voulez tout de suite, c'est de lui donner des

Ce Caniche nain comprend qu'il a fait une bêtise au ton ferme de la voix de son maître.

ordres brefs, d'un ton décidé. Les chiens ne nous portent pas rancune de prendre une voix un peu brusque. Au contraire, ils nous sont reconnaissants de leur rendre compréhensible ce que nous attendons d'eux.

Soyez positif. Les chiens sont les Norman Vincent Peale du règne animal – ils évoluent sur une pensée positive. En effet, il leur est plus facile de comprendre des ordres positifs – ce que vous voulez qu'ils fassent – que des ordres négatifs, pour lesquels vous vous contentez de dire « non ! ». Supposons par exemple que votre chien aboie après le facteur. Si vous criez « non ! », vous allez attirer son attention, mais il ne saura pas forcément à quoi ce « non » fait référence. Il vaut mieux lui dire « viens ! » et le féliciter dès qu'il le fait. L'ordre positif est aussi efficace, et probablement plus, que l'ordre néga-

tif, car il donne à votre chien un sens plus précis de ce que vous voulez lui faire faire.

Prenez le ton approprié. Les chiens sont extrêmement sensibles au moindre son ou à la moindre variation. C'est donc à votre ton qu'il saura si votre ordre est approprié ou non.

Dans la plupart des situations, il vaut mieux adopter un ton ferme et naturel, autoritaire sans être dur ni trop sérieux. Cependant, les chiens répugnent parfois à obéir. Par exemple, si votre chien traîne dans le parc avec des copains, il risque de ne pas avoir envie de venir vers vous. Vous allez être alors obligé de le convaincre que ce sera aussi amusant pour lui d'être avec vous que de gambader avec ses congénères. Prenez une voix aigüe, enthousiaste, qui lui donnera vraiment envie de les laisser pour vous rejoindre.

Il existe une formule garantie pour ramener les retardataires, selon Shirley Sullivan, c'est de dire le nom de votre chien et d'ajouter « viens là ! ». Le mot « là ! » doit être prononcé sur un ton très aigu, presque d'une voix de fausset. Les chiens répondent joyeusement à ce ton et se précipitent vers leur maître en agitant la queue.

Soyez constant. Même si les chiens reconnaissent la sonorité de certains mots, ils ne comprennent pas forcément leur signification. La seule façon d'éviter les erreurs est de toujours employer les mêmes. Si vous dites aujourd'hui à votre chien « descends de la chaise », et demain « va-t'en », il n'aura pas la moindre idée de ce que vous voulez lui dire.

Peu importe quel ordre vous lui donnez – et au bout du compte, les mots eux-mêmes ne sont pas aussi importants que cela – mais vous devez les utiliser avec régularité pour qu'ils soient plus efficaces.

CHAPITRE VINGT-TROIS

COMMUNIQUER AVEC DES SIGNES DE LA MAIN

Les chiens observent les gens et répondent
à leur langage corporel. C'est pourquoi les signes de la main
sont un moyen de communication très pratique.

Cory, une chienne Shetland de trois ans qui vit à Vienna, en Virginie, adorait que les membres de sa famille humaine téléphonent. Dès que l'un d'eux était au bout du fil, Cory se mettait à aboyer, à gémir, à faire des notes de chanson tyrolienne, bref, elle participait joyeusement à la conversation.

Malheureusement pour Cory, ses maîtres n'appréciaient pas sa contribution assourdissante. Ils réfléchirent alors au moyen de la faire cesser, et ils y parvinrent sans prononcer un seul mot. Ils avaient un secret : les signes de la main.

Désormais, quand le téléphone sonne et que Cory arrive en courant, la personne qui répond, quelle qu'elle soit, lui fait un signe de la main pour lui dire de s'asseoir, signe auquel la chienne réagit instantanément. Si elle ouvre les mâchoires pour aboyer, son maître pose un doigt sur ses lèvres, ce qui la calme aussitôt.

La famille de Cory a découvert l'utilisation des signes de la main. Mais il y a beaucoup d'autres raisons d'y avoir recours pour communiquer avec votre chien.

L'intérêt des signes de la main

Il est souvent plus facile d'apprendre à votre chien à répondre aux signes de la main qu'aux ordres verbaux. « Les chiens sont bien plus sensibles au langage corporel qu'à la communication verbale », explique Pat Miller. « Quand vous dressez votre chien, c'est beaucoup plus compliqué de lui enseigner un mot que votre langage corporel. »

Par exemple, il ne faut pas longtemps à Pat Miller pour apprendre à un chien à s'allonger en lui faisant

Les signes de la main sont utiles dans les situations bruyantes, comme dans celle-ci, où ce Staffordshire Bull terrier et sa maîtresse attendent pour traverser.

un signe de la main et en lui donnant une récompense. « Quand vous lui apprenez à se coucher, si vous utilisez le mot « couché » sans l'accompagner d'un signe de la main, votre chien risque de ne pas comprendre. Il doit vraiment faire un effort de réflexion pour saisir que ce mot seul doit l'inciter à s'allonger », explique-t-elle.

Voici d'autres situations dans lesquelles un chien qui répond à des signes de la main a un avantage très net sur un chien qui ne reçoit que des ordres verbaux.

• **Quand il y a trop de bruit.** Vous pouvez faire des signes de la main pour communiquer avec votre chien dans des situations où il a du mal à vous entendre. Par exemple, quand il est à portée de vue, mais trop loin de vous pour que vous l'appeliez, un geste très large peut lui faire comprendre qu'il est temps qu'il vous rejoigne. De la même façon, quand vous êtes dans une rue bruyante ou sur une plage qui résonne de cris, le fait que votre chien comprenne vos signes de la main peut vous aider à communiquer avec lui. Et si vous voulez communiquer avec lui sans faire un bruit – près de quelqu'un qui dort par exemple – les signes de la main sont parfaits.

Pour les chiens nés sourds, comme ce Berger Shetland bleu picard, les signes de la main peuvent remplacer complètement les ordres verbaux.

• **Si votre chien est sourd.** Beaucoup de chiens perdent une partie de leur ouïe en vieillissant, selon Shirley Sullivan. « En apprenant les signes de la main à votre chien quand il est jeune, il s'habituera à y répondre s'il devient sourd à la fin de sa vie. Ainsi, vous n'aurez pas à vous remettre à lui donner des leçons. »

Stan Chappell sait par expérience que les signes de la main peuvent aider un chien vieillissant. Molly, sa chienne croisée de Caniche, a perdu l'ouïe à l'âge de quatorze ans. La femme de Stan Chappell avait exercé Molly à répondre aux signes de la main et aux signes de la voix, la chienne a donc continué à obéir aux ordres et en a même appris de nouveaux, malgré son âge avancé. « Je crois que sa compréhension des signes de la main lui a donné une plus grande confiance en elle, dit Stan Chappell. Et comme, grâce à eux, nous avons pu continuer à communiquer, je pense qu'ils l'ont vraiment aidée à vivre plus longtemps ».

PARTICULARITÉ DE LA RACE

Certaines races ont des problèmes de surdité. Les deux gènes qui produisent la couleur blanc et bleu picard de certains chiens, tels les Collies, les Bergers australiens et les Bull terriers, sont liés à un fort taux de surdité. Ce sont les Dalmatiens, porteurs eux aussi de ces gènes, qui ont le taux de surdité le plus élevé : 30 % sont complètement sourds.

Quand les mains envoient le mauvais message

Bien qu'il n'y ait pas de signes de la main ou de gestes susceptibles d'agacer un chien, comme l'équivalent canin d'un mouvement brusque, certains gestes des mains peuvent engendrer des réactions négatives, en particulier de la part de chiens timides, agressifs ou nerveux. Par exemple, si vous vous penchez pour caresser la tête d'un chien que vous ne connaissez pas, il risque soit de battre en retraite par timidité, soit de vous saisir la main entre vos mâchoires. Cette situation est la même que si un étranger vous attrapait par le cou : vous réagiriez vivement, et c'est exactement ce que font les chiens.

Pat Miller suggère de laisser le chien flairer votre main tendue vers lui avant d'essayer de le caresser.

Il est probable que ce Rottweiler acceptera plus volontiers la présence d'une personne inconnue si elle le laisse flairer sa main avant de le caresser.

« C'est l'étiquette canine », explique-t-elle. « Quand les chiens font connaissance entre eux, ils commencent par se renifler avant de se détendre et de jouer. Le chien socialement inadapté qui fonce joyeusement sur un autre pour jouer avant d'avoir fait connaissance est souvent rossé. C'est comme si, en rencontrant un parfait étranger, vous le serriez dans vos bras au lieu de lui serrer la main ».

En fait, tout mouvement brusque des mains ou d'une autre partie du corps peut effrayer un chien, ou le rendre nerveux, selon Pat Miller, même s'il n'est pas fait dans sa direction. « Les chiens interprètent tout ce qui se passe dans leur environnement en fonction d'eux. Le moindre mouvement fait dans le voisinage d'un chien a une signification pour lui, que vous donniez une tape amicale sur l'épaule d'un copain ou que vous étreigniez votre petite amie. Avec un acte comme celui-là, un chien peut croire que son maître est menacé et qu'il a besoin d'être protégé ».

Dresser un chien avec des signes de la main

Vous pouvez renforcer l'éducation de votre chien par des signes de la main, en particulier si vous le récompensez pendant l'entraînement, dit Pat Miller. En combinant les signes de la main et les cajoleries, vous pouvez inciter votre chien à se comporter comme vous le désirez, puis le récompenser. « Et plus un chien est récompensé pour un comportement donné, plus vite il choisit d'opter pour ce comportement », ajoute Pat Miller.

Les signes de la main renforcent également les ordres verbaux, et quand un chien apprend à relier ce genre de signe à une action particulière, il est vite capable de répondre seulement au signe.

LES SIGNES DE LA MAIN LES PLUS COURANTS

Il n'est pas nécessaire que votre chien soit un as du langage des signes pour répondre aux signes de la main les plus courants. La plupart des chiens peuvent les apprendre en quelques minutes.

Apprenez à votre chien à ne pas bouger.

1 Quand votre chien est assis ou allongé, montrez-lui la paume de vos mains en relevant le bout des doigts. Reculez d'un pas, revenez immédiatement et félicitez-le.

2 Recommencez, mais faites deux pas en arrière cette fois-ci. Augmentez insensiblement la distance entre vous et votre chien, ainsi que la durée pendant laquelle il doit rester tranquille. Multipliez doucement les distractions dans son environnement, par des bruits ou en demandant à d'autres personnes d'aller et venir.

Apprenez-lui à s'allonger.

1 Ordonnez-lui de s'asseoir, puis présentez-lui une friandise. Baissez la main vers le sol en la ramenant de quelques centimètres vers vous. Le trajet que suit votre main peut avoir la forme d'un « L ».

2 En suivant votre main des yeux, votre chien va s'allonger. À ce moment-là, récompensez-le avec la friandise et félicitez-le.

Apprenez à votre chien à s'asseoir.

1 Trouvez une récompense à lui donner. Quand vous obtenez son attention en lui montrant la friandise que vous avez dans la main, levez-la main au-dessus de sa tête.

2 En suivant la main du regard, il va se mettre automatiquement en position assise. Félicitez-le et donnez-lui sa récompense.

Apprenez à votre chien à venir vers vous.

1 Mettez-vous en face de lui, à quelques dizaines de centimètres. Toujours avec une friandise dans la main, gardez les bras sur le côté. Puis prononcez le nom de votre chien et dites-lui « viens ». En disant « viens », levez le bras avec un large mouvement extérieur sur le côté.

2 Puis ramenez le bras en avant, sur la poitrine. Si votre chien ne répond pas au signe de la main et à l'ordre verbal, servez-vous de la friandise pour l'attirer vers vous.

CHAPITRE VINGT-QUATRE

COMMUNIQUER AVEC LE TOUCHER

Les chiens ont le don de communiquer par le toucher, aussi bien avec leurs congénères qu'avec les gens. Connaissant les différentes façons dont les chiens aiment être touchés et ce que cela signifie pour eux, vous pourrez, vous aussi, pratiquer ce langage.

Les chiens dépendent du sens du toucher à un point que les humains ont du mal à comprendre. Encore plus que la vue, l'odorat et l'ouïe, le toucher leur permet de former des liens émotionnels et de communiquer leurs besoins les plus fondamentaux. Les chiots nouveau-nés donnent des petits coups de museaux sur les tétines de leur mère et lui pétrissent le ventre avec leurs pattes pour stimuler l'arrivée du lait. Même s'ils sont assoupis, ils n'aiment pas qu'elle s'éloigne d'eux, et ils ne retrouvent leur sérénité que lorsqu'ils se sentent à nouveau en contact avec elle.

De la même façon que les humains apprennent mieux les langues étrangères quand ils sont très jeunes, les chiens deviennent rapidement des adeptes du langage du toucher. En fait, pendant toute leur vie, leurs interactions avec d'autres chiens et avec nous ressemblent à un sport de contact. Pour nous, tout cela ressemble à un jeu, mais pour les chiens, un petit coup de hanche, de museau ou de patte est aussi éloquent qu'un cri.

La signification du toucher

Les chiens passent beaucoup de temps à déterminer leurs rôles respectifs, et le sens du toucher leur permet d'établir leur statut dominant ou subalterne. Quand deux chiens se rencontrent, l'un des deux peut pousser l'autre d'un coup d'épaule.

Cela ressemble à un jeu – et dans certains cas, c'en est un – mais c'est aussi une manière de dire : « Je peux être dur avec toi, alors tu ferais mieux de te mettre au pas. » Pousser avec le museau est une autre façon de faire preuve d'autorité. Les chiens timides, ou réservés,

Dès la naissance, les chiots, comme ces Saint-Bernard, commencent à communiquer par le toucher. La mère et eux ne se détendent que lorsqu'ils sont en contact physique.

ne se servent jamais de ce genre de contact, contrairement aux chiens dominants, qui l'utilisent sans arrêt.

Naturellement, leurs échanges sociaux ne concernent pas uniquement leur statut. Les chiens adorent jouer, et une fois que le chef est reconnu, ils ont une variété de contacts pour communiquer leur empressement – ou leur répugnance – à s'amuser.

Certains signes utilisés par les chiens pour établir leur statut, comme le fait de poser les pattes sur les épaules de l'autre, ou de le pousser d'un coup de hanche, sont aussi des avances amicales. Un chien qui pousse l'autre d'un coup de museau, par exemple, tout en remuant la queue ou en incurvant la partie avant de son corps, dit qu'il a envie de jouer. Même les contacts qui paraissent de mauvais augure – quand l'un des deux attrape l'autre par la peau du cou – peuvent être amicaux si les chiens se connaissent et montrent en même temps d'autres signes ludiques.

Il est impossible de savoir exactement ce qu'un chien veut dire en regardant uniquement les signes de contact physique. Il faut considérer l'ensemble : la façon dont il bouge et dont il remue la queue, s'il « sourit », etc. Quand il lèche, un chien peut vouloir attirer l'attention sur lui, se montrer affectueux ou soumis, dit Robin Kovary. S'il a déjà obtenu des caresses en fourrant son museau dans vos mains, il est probable qu'il recommencera dès qu'il aura besoin d'affection. Et si vous lui donnez une friandise à chaque fois qu'il fait cela, il y a fort à parier que ce sera sa façon habituelle de venir vous demander un petit en-cas.

Toucher votre chien

Les chiens grandissent en « parlant » par le contact physique, mais pour les gens, apprendre à communiquer ainsi équivaut à maîtriser une seconde langue. Heureusement, les chiens sont patients. Ils

Ce Retriever croisé fait un signe de domination en posant ses pattes avant sur les épaules de son compagnon, mais sa queue frétillante prouve qu'il s'amuse.

comprennent que nous sommes parfois un peu lents, et ils font donc une démonstration complète des contacts physiques pour dire ce qu'ils ont à dire.

Imaginons qu'un chien ait envie que l'on s'occupe de lui. S'il était avec un congénère, il lui donnerait quelques petits coups en agitant la queue, et l'autre comprendrait tout de suite. Mais il sait par expérience que les subtilités du contact physique se perdent dans la traduction du chien à l'humain. Il va donc faire l'équivalent canin de ce que nous faisons en haussant le ton : il va vous lécher la main avant de vous pousser d'un petit coup de museau. Ou alors, il va se frotter contre vos jambes et poser sa tête sur vos genoux. Il sait que tôt ou tard, vous remarquerez sa présence et que vous abandonnerez votre journal pour le caresser, ou, s'il a vraiment de la chance, pour lui donner quelque chose à manger. Avec le temps, il apprendra à reconnaître les contacts que vous êtes le plus susceptible de comprendre. Il verra aussi que les autres membres de la famille réagissent à d'autres types de contacts.

Les gens sont moins doués que les chiens pour exprimer ce qu'ils désirent. Ils considèrent que les contacts qui signifient quelque chose pour eux – comme le fait de gratter leur chien sur la tête, ou de le serrer contre eux – a une signification pour lui. Cependant, la plupart du temps, le résultat n'est que pure confusion. Par exemple, les gens se serrent la main quand ils se rencontrent mais les chiens détestent qu'on leur touche le bout des pattes. Nous posons nos mains sur les épaules d'un ami pour lui exprimer notre affection, alors que les chiens considèrent ce contact comme une menace. Pourtant, le langage du toucher n'est pas difficile à apprendre. Bien que les chiens répondent à des dizaines de contacts, quelques-uns suffisent pour leur communiquer de nombreux messages.

• **N'aie pas peur.** Quand les chiens se rencontrent, ils baissent la tête et gardent le corps assez près du sol, car s'ils se redressaient, ils seraient peut-être confrontés à un défi. Et c'est souvent par là que l'erreur s'installe. Étant bien plus grands que les chiens, nous leur paraissons vraiment redoutables. Et puisque nous sommes grands, nous avons tendance à nous pencher pour leur caresser le sommet de la tête, qui est la partie la plus haute de leur corps. Or, quand un chien en touche un autre sur le sommet de la tête, c'est qu'il veut se mesurer à lui.

La meilleure façon de rassurer les chiens est de changer notre façon de les accueillir. Tout en nous penchant vers eux, il vaut mieux les caresser sous le menton ou sur le poitrail que sur la tête.

• **Calme-toi.** Chaque fois que votre chien a l'air stressé – quand il est au toilettage, par exemple, ou quand il comprend que vous l'emmenez chez le vétérinaire – faites-le s'allonger, puis placez vos mains sur son museau, ce qui le calmera, conseille Robin Kovary. Vous pouvez aussi le calmer en lui caressant lentement mais fermement le poitrail ou le flanc ; si votre chien est adulte, cela ralentira son rythme cardiaque et fera tomber sa tension.

• **J'aime ce que tu es en train de faire.** Dans la mesure où les chiens raffolent de contacts physiques, ils savent, pratiquement chaque fois que leur maître les touche, que c'est un signe de satisfaction. « Quand mon chien est tranquillement allongé, qu'il n'aboie pas, j'utilise le toucher pour le féliciter et l'encourager à continuer ainsi », dit Sandy Myers. En lui tirant tout doucement les oreilles ou en lui frottant le ventre, il saura que vous êtes vraiment heureux en sa compagnie.

Ce Berger allemand sait que sa maîtresse ne se mesure pas à lui quand elle se met à son niveau pour l'accueillir, et il se sent rassuré par ses caresses sous le menton.

La plupart des chiens n'aiment pas qu'on leur touche les pattes et essaient de se dégager. Vous pouvez les habituer à ce contact en le faisant quand ils sont petits.

Contacts à éviter

C'est vraiment inacceptable d'agacer un chien qui passe toute sa vie à vous respecter et que rien ne peut réjouir davantage que l'attention que vous lui portez. Mais nous ne sommes pas toujours conscients du fait que ce qui nous paraît bien ne paraît pas forcément bien aux chiens. Il existe certains contacts, même s'ils sont faits avec les meilleures intentions du monde, que les chiens interprètent de façon très négative.

La plupart détestent qu'on leur touche le bout des pattes. Les spécialistes ne sont pas sûrs d'en connaître la raison. Peut-être les chiens sont-ils chatouilleux, ce qui leur rend ce contact désagréable. Entre eux, il est rare qu'ils se touchent le bout des pattes, et dans le guide des bonnes manières canines, c'est probablement considéré comme une liberté inacceptable, dit Pat Miller.

Les chiens aimeraient bien aussi que les humains évitent de les serrer contre eux. Ils

ne se comportent pas ainsi pour montrer leur affection. Ce contact peut vaguement leur rappeler que leur mère les emportaient entre ses dents quand ils étaient chiots. Mais le fait de les serrer contre soi évoque sans doute pour eux, dans leur inconscient, l'époque où une « étreinte » signifiait qu'ils étaient attaqués. Et ils peuvent aussi associer cet acte au fait d'être assailli par un chien dominant. Selon Robin Kovary, serrer les chiens contre soi limite leurs capacités à bouger ou à s'échapper, ce qu'ils n'apprécient pas du tout.

C'est la raison pour laquelle il ne faut pas donner des leçons de discipline à votre chien en tenant sa tête entre vos mains. Ce geste lui donne l'impression d'être enfermé et le met mal à l'aise.

UNE HISTOIRE DE POILS

Le sens du toucher est très important chez les chiens, mais ils perdent un peu de cette sensibilité à cause de leur fourrure qui les isole de leur environnement. Pour compenser, ils sont équipés de récepteurs spéciaux qui leur permettent de recueillir des messages subtils.

Ces récepteurs sont des poils sensoriels, appelés vibrisses, qui sont fixés sur des surfaces de la peau ayant davantage de vaisseaux sanguins, et de nombreuses terminaisons nerveuses. Les vibrisses sont localisées au-dessus des yeux, sous les joues et sur le museau. Les chiens se servent de ces poils très sensibles au toucher pour recueillir plus d'informations sur leur environnement, telles que la force et la direction des courants aériens ainsi que la forme et la texture des objets.

CHAPITRE VINGT-CINQ

COMMUNIQUER AVEC LES ODEURS

Le sens le plus puissant des chiens est leur odorat.
Ils l'utilisent pour découvrir toutes sortes de choses fascinantes
autour d'eux et pour communiquer avec leurs congénères.

Les chiens ont un odorat étonnant. Les chercheurs ont trouvé qu'ils étaient jusqu'à un million de fois plus sensibles que nous à certaines odeurs, comme la transpiration. Il n'y a donc rien de surprenant à ce qu'ils communiquent par ce moyen. Observez bien votre chien pendant sa prochaine promenade. Vous verrez qu'il passe relativement peu de temps à regarder autour de lui car la plus grande partie de son attention est accaparée par ce qui se trouve sous son nez, au sens littéral.

Cela explique pourquoi les chiens les mieux élevés font de brusques mouvements en avant, le nez tendu vers une bouche d'incendie, un arbre ou un autre objet digne d'intérêt. Le nez de votre chien est si sensible qu'il peut sentir les traces d'autres chiens qui sont passés par là plusieurs heures, voire plusieurs jours auparavant, et découvrir ainsi leur sexe, leur attitude, et même leur maturité. Mais surtout, votre chien peut « parler » aux autres simplement en flairant leur odeur ou en laissant la sienne.

Le besoin instinctif qu'ont les chiens de renifler et d'être reniflés est parfois irritant quand nous sommes pressés, mais il constitue un outil d'apprentissage inestimable. Puisque les chiens utilisent les odeurs pour communiquer entre eux, il est possible que les humains se servent des odeurs pour parler à leur chien.

Mettez-le à l'aise

Les chiens ont des habitudes et n'apprécient pas toujours les changements dans leur vie quotidienne. Vous pouvez vous servir des odeurs pour aider votre chien à affronter plus facilement une situation nouvelle ou pénible, conseille Robin Kovary. Quand vous le mettez en pension, par exemple, vous pouvez l'aider à s'adapter en lui laissant un de vos vieux T-shirt

Quand son maître s'en va et laisse ce Beagle à des amis, il laisse aussi un vêtement. Une odeur familière réconforte les chiens et leur permet de se sentir plus en sécurité.

Pourquoi les chiens se roulent-ils dans des immondices ?

Les chiens ont de nombreux aspects attachants, mais leur habitude de se rouler dans les choses les plus répugnantes n'en fait pas partie ! Il est malheureusement presque impossible de leur faire perdre cette habitude. Qu'ils suivent la trace d'un cheval ou qu'ils explorent le voisinage derrière le camion-poubelle, rien ne leur plaît autant que de trouver quelque chose d'ignoble et de se rouler dedans. Pour nous, c'est très désagréable, mais pour les chiens, cela a un sens, affirme Sharon Crowell-Davis, spécialiste du comportement. « En chassant, un chien sauvage ne veut pas avoir une odeur de chien, mais l'odeur de sa proie », explique-t-elle. « Alors, il se roule dans des excréments ou sur des charognes pour changer son odeur. » Bien sûr, les chiens ne chassent désormais rien de plus redoutable que leur bol de nourriture sur le sol de la cuisine. Mais dans leur esprit, cela vaut la peine d'avoir l'odeur appropriée.

pas lavé, ou un autre vêtement. Il sera moins craintif et insécurisé car votre odeur lui tiendra compagnie.

Si les situations inconnues rendent les chiens nerveux, les personnes inconnues produisent parfois le même effet. C'est pourquoi les dresseurs recommandent de présenter les chiens à un nouveau venu dans la famille, un bébé, par exemple, en les laissant flairer quelque chose qui lui appartient – couverture ou vêtement – avant qu'ils se retrouvent face à face. Les chiens qui « rencontrent » des gens en reniflant d'abord leur odeur les acceptent plus volontiers car ils ont l'impression d'avoir été correctement présentés, et ils ne sont donc pas alarmés la première fois qu'ils les voient.

Apprendre avec les odeurs

Si les chiens se servent de leur nez pour découvrir les bonnes choses – comme des cookies sur le buffet – ils ont également besoin des odeurs pour les avertir de ce qui n'est pas bon. Vous pouvez combiner les odeurs et d'autres techniques de dressage pour leur apprendre ce qu'ils doivent faire, conseille Shirley Sullivan.

Par exemple, vous pouvez décourager votre chien de voler de la nourriture en aspergeant la table avec un produit spécial, comme de l'huile anisée, tout en la piégeant avec des boîtes de conserve alignées sur le bord. La prochaine fois qu'il fera un raid, les boîtes s'écrouleront et lui feront peur. Les chiens dépendent tellement de leur odorat qu'il associera l'odeur de l'huile anisée à ce bruit effrayant. Au bout de quelques jours, l'huile seule suffira à le dissuader, affirme Shirley Sullivan.

Les odeurs que les chiens n'aiment pas peuvent aussi être des outils d'apprentissage, comme les colliers à la citronnelle pour leur apprendre à ne pas aboyer. La diffusion de citronnelle qui se produit au premier ou au second aboiement le persuadera qu'il a intérêt à se taire s'il ne veut pas sentir à nouveau cette odeur déplaisante. Vous pouvez aussi utiliser la citronnelle pour éloigner les chiens des meubles et de la poubelle.

Il n'y a pas que les odeurs qui envoient des messages, il y a aussi le manque d'odeurs. Par exemple, les chiens qui ont uriné dans la maison retournent parfois au même endroit, attiré par le relent qui continue à flotter. C'est pourquoi il faut retirer non seulement la tache mais l'odeur. Les neutraliseurs d'odeurs, disponibles dans les boutiques d'accessoires pour animaux, sont pratiques et efficaces. Une fois que l'odeur est partie, votre chien n'aura plus de raison de retourner à cet endroit.

CHAPITRE VINGT-SIX

COMMUNIQUER AVEC LES SONS

Même quand ils sont profondément endormis, les chiens gardent une oreille attentive.
Ils se servent beaucoup plus du sens de l'ouïe que nous, aussi l'utilisation
des sonorités est-elle un bon moyen pour communiquer.

Les chiens entendent beaucoup mieux que nous. Ils sont capables de capter des sons quatre fois plus éloignés que ceux que nous pouvons entendre, et des sons très aigus, dont nous n'avons pas conscience. Leur sensibilité aux sons est très importante car ils dépendent beaucoup plus que nous du sens de l'ouïe. Quand nous parlons aux chiens, ils ne se contentent pas d'écouter les mots que nous prononçons, ils se concentrent aussi sur le ton de notre voix.

Ils sont attentifs à bien d'autres choses qu'au ton sur lequel nous parlons. Le bruit des boîtes de pâtée qui s'entrechoquent dans le sac à provisions, le craquement d'une marche derrière la porte d'entrée, ou l'ouverture du tiroir qui contient la laisse, voilà quelques sons qui racontent aux chiens ce qui va se produire.

« La plupart du temps, nous apprenons quelque chose aux chiens sans même nous en rendre compte, parce qu'ils cherchent toujours des indices sur ce qui se passe autour d'eux, et ils les interprètent. » dit Pat Miller.

Les chiens étant curieux de nature et aimant apprendre, nous pouvons nous servir de ces atouts en utilisant leur ouïe fine pour leur communiquer nos messages.

Ce Berger australien va chercher sa laisse chaque fois qu'il entend sa maîtresse prendre les clefs de la maison. Il sait que c'est le signal du départ pour la promenade.

Vocabulaire de base

En dehors des ordres que nous leur donnons, nous parlons tous, ou presque, à nos animaux familiers, pour partager nos états d'âme ou pour leur signaler quelque chose qui va les exciter, comme par exemple : « Tu as vu le ballon, là-bas ? »

Personne ne sait exactement jusqu'à quel point les chiens comprennent le langage humain. Les chiens de compétition, très entraînés, connaissent des

dizaines d'ordres, et chaque chien connaît un minimum de mots-clefs tels que « promenade » et « dîner », ainsi que quelques expressions un peu plus compliquées. « Tout le monde peut enseigner à son chien de cinq à dix mots, ou plus, en faisant un gros effort », affirme Sharon Crowell-Davis.

Ce Shiba inu sait au ton de la voix de sa maîtresse qu'elle est contente de lui.

Cinq ou dix mots, cela paraît peu, mais c'est une quantité qui couvre largement les ordres que les chiens doivent connaître, tels que « assis », « viens », « couché », et « reste là ». Cependant, la concentration des chiens ne se porte pas uniquement sur les mots. Ils nous écoutent et font des associations chaque fois que nous parlons. Et ils sont très doués pour relier les choses entre elles.

Bien qu'il soit peu probable qu'un chien comprenne entièrement une phrase relativement complexe (pour lui), telle que « va chercher la balle », l'expérience lui apprend ce que vous tentez de lui communiquer. Et il ne lui faut pas longtemps pour qu'il en comprenne le sens général, et qu'il aille fouiller dans son panier à jouets à la recherche de la balle.

Les chiens écoutent aussi des sons auxquels nous ne faisons plus attention. Par exemple, l'ordinateur de Pat Miller dit « Bonjour », chaque fois qu'elle l'allume. Ses chiens ne comprennent peut-être pas le mot lui-même, mais ils ont bien compris que « au revoir » correspond au moment où leur maîtresse termine son travail et où elle va les faire sortir pour qu'ils jouent.

Les chiens ne prêtent pas un sens aux paroles de la même façon que nous, aussi, vous ne pouvez pas attendre d'eux qu'ils enrichissent leur vocabulaire tout de suite, dit Robin Kovary. Ils doivent écouter le même mot ou groupe de mots plusieurs fois avant de lui trouver une signification. Cependant, si ce mot ou ce groupe de mots est relié à quelque chose qu'ils aiment, comme une promenade, ils font très vite le rapprochement.

Supposons que vous voulez apprendre à votre chien la signification de « promenade ». Une ou deux fois par jour, dites « promenade ! » en prenant sa laisse, juste avant de sortir, et assurez-vous que votre chien vous voit et vous entend. Il ne lui faudra pas longtemps pour comprendre le sens de « promenade », et il prouvera son savoir en agitant la queue et en sautant, tout excité. Vous pouvez faire la même chose avec des mots comme « mange », « ballon » ou « viens là ». Comme peuvent en témoigner les enseignants, la meilleure façon de faire assimiler les connaissances de base est de répéter les choses, puis d'enchaîner sur une activité ludique.

Naturellement, quel que soit le nombre de mots que votre chien peut apprendre, ils n'auront jamais le même sens pour lui que pour vous. Mais il assimilera d'autres aspects du mot, comme sa sonorité,

l'inflexion de votre voix. En d'autres termes, si nous voulons communiquer avec les chiens, nous devons faire attention non seulement à ce que nous disons, mais aussi à la façon dont nous le disons.

Le ton de la voix

Étant sensibles aux sons les plus subtils, les chiens réagissent à la tonalité de votre voix. Les dresseurs pensent qu'elle est plus importante que les mots pour communiquer avec votre chien. Vous pouvez faire un essai en lui disant qu'il est le plus misérable bon à rien de la terre. Tant que vous parlerez sur un ton joyeux, il remuera la queue et se tortillera de bonheur.

À l'inverse, si vous lui dites, d'une voix grave, sérieuse, à quel point il est merveilleux, vous allez l'inquiéter. Il va coucher les oreilles, rentrer la queue et essayer de se faire aussi petit que possible. Il sera malheureux et pensera qu'il vous a déplu, parce qu'il reconnaîtra le ton que vous employez quand vous êtes fâché contre lui.

La plupart des dresseurs recommandent d'utiliser trois tons de voix différents pour parler aux chiens : un ton ferme pour donner des ordres, un ton joyeux, relativement aigu pour les félicitations, et un ton grave et désapprobateur pour les réprimandes.

Ces trois tons sont efficaces parce qu'ils imitent ceux que prennent les chiens quand ils communiquent entre eux. Une voix égale, par exemple, correspond au ton de l'aboiement quotidien du chien, et cela est idéal pour donner des ordres courants ou des messages peu importants. Un ton aigu ressemble à l'aboiement excité, c'est donc un bon moyen pour transmettre la satisfaction ou la joie. Quant au ton grave, sérieux, il évoque le grondement de désapprobation d'une mère-chienne, ce qui en fait le meilleur ton pour réprimander.

Ce n'est pas toujours simple, évidemment, de varier suffisamment sa voix pour réussir à capter toujours l'attention d'un chien. Les hommes à la voix grave ont du mal à la faire grimper assez haut pour féliciter ou transmettre une sensation de plaisir de façon à ce que leur chien comprenne facilement, dit Greg Strong. Les femmes à la voix perchée ont le problème inverse pour baisser la voix quand elles veulent corriger leur chien. Il n'est donc pas étonnant que ce soit les hommes, la plupart du temps, qui réussissent le mieux à réprimander les chiens, et les femmes à les féliciter.

Mais pour les hommes comme pour les femmes, la chose la plus importante est de faire en sorte que le ton de la voix corresponde au message à transmettre. « J'ai entendu des gens dire à leur chien de s'asseoir, sur le ton de l'interrogation, comme s'ils lui demandaient son avis », dit Greg Strong. Si vous faites cela, votre chien risque de ne pas obéir car il ne réalisera peut-être pas que vous lui avez donné un ordre.

Au-delà des mots

Le fait que les chiens dépendent des sons et non pas uniquement des mots pour comprendre le monde qui les entoure peut être utilisé à votre avantage à la fois pour l'éduquer et pour communiquer un peu plus efficacement avec lui.

Par exemple, si vous ne voulez pas qu'il mendie à table, vous pouvez lui dire « va-t-en ! » ou « ne mendie pas ! ». Vous pouvez aussi vous éclaircir la voix en le regardant bien en face. Ce bruit attirera

Écouter pour gagner sa vie

Pour certains chiens, tendre l'oreille chaque jour au moindre son n'est pas uniquement une aventure, c'est leur travail, et ces chiens sont souvent une bénédiction pour les gens qui ont perdu l'ouïe, partiellement ou complètement.

Ces chiens, appelés chiens d'assistance, sont intelligents, et ont toujours envie de faire plaisir. Ils ont été dressés pour alerter leur maître quand ils entendent la sonnerie de la porte, du téléphone, du réveil, et les alarmes d'incendie. Ils peuvent aussi prévenir des parents dont le bébé s'est mis à pleurer, dit Joyce Fehl, spécialiste du comportement animal.

La plupart des chiens qu'elle dresse viennent de refuges d'animaux, et ils sont testés pour voir jusqu'à quel point ils reconnaissent certains sons et y réagissent opportunément, explique Joyce Fehl. Un des tests les plus courants est de faire sonner un réveil. Si le chien se met à courir vers le réveil, et prouve par là qu'il peut identifier la provenance du son, c'est un bon candidat pour recevoir une formation.

Tous ces chiens apprennent à reconnaître certains sons, mais ils ont aussi la capacité d'en reconnaître d'autres, une fois qu'ils sont adoptés par leurs nouveaux maîtres. C'est ce qu'a découvert Barbara Spano un beau matin : Lilly, sa chienne Caniche, lui donnait des petits coups de patte sur le visage pour la réveiller.

Quand Barbara se leva, elle sentit le sol vibrer. Elle regarda par la fenêtre et vit qu'un camion avait défoncé un poteau télégraphique près de sa maison. Elle appela les pompiers, qui déclarèrent qu'elle avait eu de la chance que sa maison ne prenne pas feu, car toutes les lignes électriques avaient été arrachées.

Les chiens d'assistance sont encouragés à réfléchir, et ils reçoivent un entraînement intensif. Mais ce qui les caractérise c'est qu'ils sont profondément attachés à leur maître et font tout ce qui est en leur pouvoir pour assurer leur sécurité. "Même en dormant, ils gardent une oreille attentive", ajoute Joyce Fehl.

qu'il n'obtiendra pas de reliefs et qu'il n'a plus qu'à s'éloigner.

Le fait que les chiens puissent apprendre à donner un sens à toutes sortes de sonorités verbales a conduit à utiliser une technique appelée cliquet.

Un cliquet est une petite boîte munie d'une bande métallique qui fait un petit cliquetis quand on la pousse. Quand un chien fait bien ce qu'on lui demande, son dresseur ou son maître déclenche le cliquet au lieu de dire « bon chien ! ». Et tout de suite après, il donne une friandise au chien.

« Exercer un chien avec un cliquet est une bonne idée parce que cela fonctionne dans un sens positif pour lui », dit Pat Miller. Le cliquet constitue un renfort positif et une récompense immédiate.

Vous pouvez arriver au même résultat avec d'autres sons. Tout ce que votre chien associe à des félicitations ou à des choses agréables, comme par exemple un « oui ! » enthousiaste ou un rapide claquement de mains, est aussi efficace.

L'idée est d'employer des sons que votre chien peut reconnaître et qui lui font comprendre qu'il a fait quelque chose de bien juste au moment où il vient de le faire. Cela lui permet d'apprendre plus vite, et bientôt vous apprécierez tous les deux le fait de pouvoir communiquer un peu plus facilement.

son attention et votre regard lui fera comprendre que vous n'êtes pas content. Il ne lui faudra pas longtemps pour capter le message, et finalement, il comprendra que votre raclement de gorge signifie

CHAPITRE VINGT-SEPT

LES FRIANDISES

Comme les humains, les chiens aiment manger de bonnes choses.
Mais les friandises ne servent pas uniquement à assouvir leur gourmandise,
elles peuvent aussi vous aider à mieux communiquer avec eux.

Les chiens sont facilement distraits, leur faculté d'attention est de courte durée, ce qui explique pourquoi il n'est pas toujours facile de leur faire écouter ce que vous leur dites. Mais ils sont néanmoins capables de se concentrer intensément, surtout s'il est question de nourriture. C'est pourquoi de nombreux dresseurs conseillent d'utiliser des friandises pour améliorer la communication. Que ce soit au cours d'une leçon, ou simplement pour lui faire abandonner un mauvais comportement, ou encore pour détourner son attention de quelque chose, rien n'est plus parlant que la nourriture.

Pendant la leçon, une bonne chose à manger aide ce Fox terrier a se concentrer.

Les dresseurs utilisent souvent des friandises comme le fromage, le foie séché et congelé ou d'autres gourmandises pour inciter les chiens à se concentrer pendant les leçons, dit Robin Kovary. Il n'y a pas que l'appétit insatiable des chiens qui soit impliqué. De tous leurs sens, l'odorat est le plus puissant, bien plus puissant que l'ouïe et la vue. Quand vous leur donnez des leçons d'obéissance, des mots comme « viens », ou « assis » n'ont pas beaucoup de sens, du moins au début. Mais un odorant biscuit pour chiens envoie un message qu'ils comprennent immédiatement. Le fait de combiner deux messages, un ordre verbal et une odeur plus pressante, facilite beaucoup l'apprentissage.

Supposons par exemple que vous apprenez à votre chien à accourir à votre appel. Au début, il ne comprend pas le mot « viens », et il a du mal à vous accorder son attention parce qu'il est distrait par tout ce qui se passe autour de lui, depuis l'odeur de l'herbe jusqu'au vol d'un insecte. Mais en lui montrant une friandise, vous captez son attention ; très motivé pour gagner sa récompense, il est prêt à faire tout ce que vous lui demandez. Ainsi, la friandise a deux avantages : elle permet à votre chien de se concentrer et elle le récompense quand il vient vers vous en courant.

C'est la même technique quand vous apprenez à votre chien à rester tranquille. L'ordre « reste là » est l'un des plus difficiles à lui apprendre car il signifie que vous le laissez à un endroit et que vous allez ailleurs. Au bout de quelques secondes, il commence à s'ennuyer d'être assis ou allongé et il se met à chercher des distractions autour de lui. C'est à ce moment-là que les leçons de dressage se transforment en course-poursuite.

Tout change quand vous posez une friandise sur le sol à quelques centimètres de votre chien, dit Shirley Sullivan. C'est comme si tout ce qui avait capté son attention jusque-là n'existait plus, tout à coup. Plutôt que d'attendre désespérément l'heure de la sortie de son cours, votre chien meurt d'impatience de faire ce que vous voulez, dans la mesure où il sait qu'il obtiendra quelque chose à manger quand il l'aura fait.

Naturellement, si vous lui donnez une friandise chaque fois qu'il vous obéit, vous aurez un chien bien élevé, mais un gros chien. Quand vous élevez un chiot ou que vous donnez un cours supplémentaire à un chien adulte, les friandises sont parfaites pour les motiver et garder leur concentration. Mais les bonnes choses doivent être consommées avec modération. « Vous ne voulez pas que votre chien devienne obsédé par la nourriture », dit Robin Kovary. Quand il a appris les bases, il n'a plus besoin de faire continuellement des extras. Évidemment, nous n'avons pas non plus, nous les humains, besoin de crème glacée, mais nous apprécions une douceur de temps à autre, et les chiens aussi.

Le pouvoir de la distraction

Les friandises envoient d'autres messages en même temps que « assis » ou « reste là ». Vous pouvez les utiliser pour empêcher votre chien de faire des choses que vous n'avez pas envie qu'il fasse, quand il se débat au moment où vous le brossez, par exemple, ou quand il aboie après les papillons à la fenêtre. Les friandises sont très recommandées pour les problèmes du comportement, comme l'aboiement. Après tout, les chiens ne peuvent pas manger et aboyer en même temps.

Ou alors, vous voulez empêcher votre chien de courir après les voitures. Quand vous le promenez en laisse, prévoyez une friandise à lui donner au moment où une voiture approche. Montrez-lui rapidement la friandise pour l'inciter à s'asseoir, et faites-le se concentrer sur elle afin qu'il reste assis quand la voiture passe. Ainsi, votre chien abandonnera une mauvaise habitude grâce aux friandises, qui auront accéléré le processus, dit Shirley Sullivan. Au bout d'un certain temps, il sera tellement accoutumé à ignorer les voitures qu'il le fera automatiquement, même lorsque vous ne lui donnerez pas de récompense.

Vous pouvez aussi y penser pour que votre chien soit moins malheureux quand vous n'êtes pas chez vous. C'est important, car les chiens qui restent seuls s'ennuient souvent, ou sont inquiets, et ils expriment leurs sentiments en aboyant sans arrêt, en faisant des trous dans le jardin ou en rongeant ce qui leur tombe sous la dent. Quelque chose d'aussi simple que de donner à votre chien un jouet fourré de friandises, que ce soit un Kong, un cube Buster ou un os creux, peut suffire, souvent, à résoudre le problème. Car si votre chien a quelque chose à faire – en l'occurrence, dénicher des bonnes choses – il sera trop occupé pour être anxieux ou pour s'ennuyer.

Un jouet en caoutchouc rempli de friandises stimule ce Samoyède et lui procure beaucoup de plaisir.

Crédits et remerciements

(h = haut, b = bas, g=gauche, d=droite, c=centre, F=1 re de couv., C=couverture, B=4 e de couv.).
La liste des photographies, ci-dessous, sont protégées par un ©.

L'éditeur tient à remercier les personnes suivantes pour leurs aides dans la préparation de ce livre :
Trudie Craig, Peta Gorman, Tracey Jackson.
L'éditeur remercie tout particulièrement les personnes suivantes qui ont amené leurs chiens pour les séances photos :
Len Antcliff et « Bozie » ; Kathy Ash et « Max » ; Leigh Audette et « Boss » ; Tim et Andrea Barnard et « Sam », « Rigel », « Tessa », et « Molly » ; Anne Bateman et « Bonnie » ; Esther Blank et « Max » ; Corinne Braye et « Minne » ; Sophie et Joel Cape et « Max » et « Millie » ; Matt Gavin-Wear et « Amber » ; Robyn Hayes et « Patsy » ; Anne Holmes et « Marli » ; Sophie Holsman et « Zane » ; Fran Johnston et « Tess » ; Suzie Kennedy et « Eddie » ; Natalie Kidd et « Cisco » ; Michael Lenton et « Jasper » ; Gish Lesh et « Twister » ; Lubasha Macdonald et « Tigra » ; David McGregor et « Kelly » ; Cameron McFarlane et « Donald » ; Chris Wilson et « Julia ».

Index

Les numéros de pages <u>soulignés</u> indiquent les textes encadrés, les références en *italique* indiquent les illustrations.